최원휘 SELF 교육학

핵심개념 456

모범답안 & 빈칸암기노트

최원휘 편저

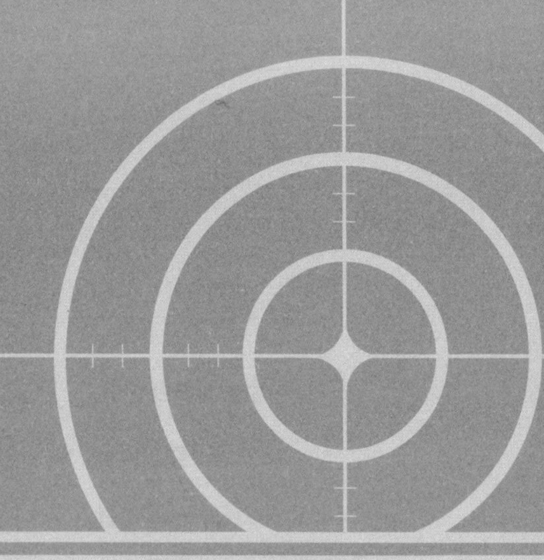

박문각

CONTENTS

이 책의 차례

최원휘 SELF 교육학
핵심개념 456
모범답안 & 빈칸암기노트

최원휘 SELF 교육학
핵심개념 456
모범답안 & 빈칸암기노트

I

교육철학 및 교육사

Chapter 01 교육의 기초

중요도 ○○○

001 교육의 기본적 이해

교육은 성숙한 교사가 미성숙한 학생을 이끌어주는 것이라고 보는 동양적 어원의 특징 3가지는 다음과 같다. 첫째, 교사와 학생의 관계는 [㉠   ]을(를) 전제한다. 둘째, 학생은 지식과 기술을 전달받아야 하므로 교육에서 [㉡   ] 태도를 지니게 된다. 셋째, 교육방법은 주로 [㉢   ]을(를) 활용하면서 학습 내용을 일방적으로 전달한다.

002 교육의 기본적 이해

교육의 비유와 관련하여 A 교사와 같이 학생에게 일정한 교육과정을 제공하는 것과 관련한 비유를 [㉠   ](이)라고 하며, B 교사와 같이 학생의 특성에 따라 다른 교육환경을 조성하는 것과 관련한 비유를 [㉡   ](이)라고 한다. A 교사는 교육의 목적으로 절대적인 지식의 습득을 설정할 수 있으며, 이때 교사의 역할은 중요한 지식을 충실히 설명하는 [㉢   ](이)라고 할 수 있다. 반면, B 교사는 교육의 목적으로 [㉣   ]을(를) 설정할 수 있으며, 이때 교사의 역할은 질문과 피드백 등을 통해 학습자의 성장을 도와주는 조력자라고 할 수 있다.

003 교육의 정의

피터스는 내재적 가치를 추구하는 교육을 강조하면서 교육을 합당하게 하는 준거로 3가지를 제시한다. 첫째, [㉠   ](이)다. 이는 바람직성과 관련한 것으로, 교육목적은 수단적·도구적인 것이 아닌 그 자체로 가치가 있는 것을 추구해야 한다. 둘째, [㉡   ](이)다. 이는 지식과 관련한 것으로 교육내용은 지식과 이해, 인지적 안목 등을 포함하여야 한다. 셋째, [㉢   ](이)다. 이는 도덕성과 관련한 것으로, 교육방법은 세뇌와 같은 방식이 아닌 도덕적으로 온당한 방식이어야 한다.

004 〈 교육의 목적과 기능

교육의 목적은 크게 내재적 목적과 외재적 목적으로 구분된다. 교육의 내재적 목적이란 다른 것을 위한 수단으로서의 교육이 아닌 [㉠](이)가 가지고 있는 목적을 의미한다. 예를 들어, 교육을 통한 이성과 합리성의 계발, 학습자의 [㉡] 등이 이에 해당한다. 반면, 교육의 외재적 목적이란 인간의 필요에 의해 어떤 목적을 달성하기 위한 수단으로서 교육이 가지고 있는 목적을 의미한다. 예를 들어 경제성장, [㉢] 등이 이에 해당한다.

005 〈 우리나라 교육의 이해

헌법 제31조 제1항에서는 모든 국민에 대한 균등한 교육을 강조하는데, 이처럼 교육에 있어서 차별을 받지 않는 것과 관련한 이념을 교육의 [㉠](이)라 한다. 또한, 헌법에서는 능력에 따른 교육을 강조하는데, 이처럼 학생들 각자의 소질과 재능을 신장시키는 것과 관련한 이념을 교육의 [㉡](이)라 한다. 이들 각각의 이념과 관련한 정책은 다음과 같다. [㉠]은(는) 교육에서 차별을 없앰으로써 확보되므로 이 이념과 관련한 교육정책으로 [㉢]을(를) 들 수 있다. [㉡]은(는) 수준별 맞춤형 교육을 통해 확보되므로 이 이념과 관련한 교육정책으로 [㉣]을(를) 들 수 있다.

006 〈 우리나라 교육의 이해

학습권은 학습을 통하여 인간으로서 성장할 권리를 의미한다. 학습권은 크게 4가지로 구분되는데, 이 중 두 번째에 들어갈 권리는 교육을 요구하고 [㉠]할 권리이며, 세 번째에 들어갈 권리는 교육에 관한 결정과정에 [㉡]할 권리이다. 두 번째 권리를 실현하는 정책으로는 고교에서 학생들이 배울 과목을 선택하는 [㉢]을(를) 들 수 있다. 또한, 세 번째 권리를 실현하는 정책으로는 학생들이 학급 운영을 위해 자유롭게 참여하는 [㉣]을(를) 들 수 있다.

Answer

001 ㉠ 수직 관계 ㉡ 수동적 ㉢ 강의식
002 ㉠ 주형의 비유 ㉡ 성장의 비유 ㉢ 전달자 ㉣ 학생의 잠재 가능성 발현
003 ㉠ 규범적 준거 ㉡ 인지적 준거 ㉢ 과정적 준거
004 ㉠ 교육의 활동 자체 ㉡ 자아실현 ㉢ 입시, 생계유지, 출세, 사회통합
005 ㉠ 형평성 ㉡ 수월성 ㉢ 의무교육, 방과후 수강권 제공, 단선형 학제, 무상급식 등 ㉣ 고교학점제, 자유학기제, 영재교육 등
006 ㉠ 선택 ㉡ 참여 ㉢ 고교학점제 ㉣ 학급자치회

Chapter 02 교육의 역사

중요도 ○○○

007 한국교육의 역사

이색은 독서–토론–글쓰기 등으로 이어지는 단계적 교수론을 제시했는데, 이를 현대에 적용했을 때 교육적 효과는 다음과 같다. 첫째, 처음에 [　　　㉠　　　]을(를) 강조함으로써 기초 지식을 습득할 수 있다. 둘째, 서로 질문하고 답변하는 논란의 과정을 통해 [　　　㉡　　　]을(를) 함양할 수 있다. 셋째, 시나 문장을 짓는 글짓기 활동을 통해 [　　㉢　　]을(를) 함양할 수 있다.

008 한국교육의 역사

조선시대 과거 시험의 대표적 방식은 크게 강경과 제술로 구분된다. 강경은 내용을 얼마나 암기했는가를 평가하는 방식으로, 현대에 적용했을 때 [　　　　　㉠　　　　　] 때문에 평가 자체가 용이하다는 장점이 있지만, 단순 암기력만 평가해 [　　　㉡　　　]을(를) 평가하기에는 곤란하다는 단점이 있다. 반면, 제술은 서·논술형 평가 방식으로, 현대에 적용했을 때 [　　　㉢　　　] 때문에 창의력·사고력과 같은 능력을 평가할 수 있다는 장점이 있지만, [　　㉣　　]이(가) 개입되기 쉬워 평가 결과의 일관성이 떨어져 신뢰도가 저하될 수 있다.

009 한국교육의 역사

조선시대 서당의 교수·학습상 특징은 다음과 같다. 첫째, 학습자별로 다른 학습량을 고려하는 [　　　㉠　　　]을(를) 지향한다. 둘째, 필요한 내용을 완전히 암송하는 경우에만 다음 단계로 넘어가므로 [　　㉡　　]을(를) 추구한다. 셋째, 암송 외에 놀이를 통한 학습을 활용하여 학습자의 [　　㉢　　]을(를) 자극한다.

010 〈 고대 그리스 · 로마시대의 교육

고대 그리스 문화의 특징은 다음과 같다. 첫째, 인간임을 자각하고 아름답게 사는 것인 [㉠], 둘째, 조화의 아름다움을 추구하는 [㉡], 셋째, 폴리스로 대표되는 자유로운 공동체 문화를 들 수 있다. 이런 문화적 특징을 기반으로 하는 아테네의 교육은 [㉢]을(를) 통해 지혜로운 사람을 육성하는 것을 목적으로 한다.

011 〈 고대 그리스 · 로마시대의 교육 　　●○○

소크라테스는 보편적 · 절대적 진리를 탐구하기 위한 교육방법으로서 대화법을 강조했다. 소크라테스 대화법에서 확인할 수 있는 질문의 종류와 기능은 다음과 같다. 첫째, 학생의 기존 생각에 대해 반례를 제시하는 [㉠](이)다. 교사는 학생에게 질문을 거듭해 나가면서 학생들이 무지에 대해 지각 하게 하는 기능을 수행한다. 둘째, 진리를 탐구할 수 있도록 유도하는 [㉡](이)다. 고정관념이 깨진 상황에서 핵심 질문을 통해 학생 스스로가 보편적 · 절대적 진리를 발견하도록 유도하는 기능을 수행 한다.

012 〈 고대 그리스 · 로마시대의 교육 　　●●○

고대 그리스에서는 합리적이고 지혜로운 인간을 육성하기 위해 자유교육을 강조했다. 자유교육이란 [㉠]을(를) 의미한다. 이러한 자유교육의 특징은 다음과 같다. 첫째, 교육은 어떤 목적 달성을 위한 수단으로서가 아니라 진리 그 자체의 가치를 추구하는 [㉡] 목적을 추구한다. 둘째, 교육을 통해 전인적 개인의 완성을 강조하면서 공동체 일원으로서 개인을 성장시키고자 한다.

Answer

007 ㉠ 강의와 독서 ㉡ 비판적 사고 능력 / 고차원적 사고 능력 ㉢ 창의력 / 표현력
008 ㉠ 내용을 얼마나 정확하게 암기했는가에 초점을 두기 ㉡ 고차원적 사고 능력 ㉢ 글을 통해 학생들의 생각을 확인할 수 있기 ㉣ 평가자의 주관
009 ㉠ 개별 맞춤형 교육 ㉡ 완전학습 ㉢ 흥미 / 동기
010 ㉠ 휴머니즘 ㉡ 코스모스 ㉢ 자유교육
011 ㉠ 반문법 ㉡ 산파술
012 ㉠ 자유시민으로서 자유를 누리고 선용하는 능력을 기르기 위한 교육 / 무지로부터 자유로운 교육 ㉡ 내재적

013 〉 중세 및 근대의 교육

서양 중세의 경우 [㉠], 봉건제, [㉡]을(를) 특징으로 한다. 중세 전기에는
기독교의 영향력이 강해, 이때의 교육은 강한 종교적 성향을 지녔다. 따라서 교회에서 학교를 설립·
운영하여 신앙활동과 교육활동을 병행하였다. 상공업이 발달한 중세 후기에는 종교적 성향이 약해지고
교육의 세속적 성격이 강해졌다. 그러면서 영주의 이권을 보호하기 위한 [㉢], 상공인의
성장에 따른 시민교육이 발달하게 된다. 이에 따라 이전보다 시민의식이 성장하면서 지식에 대한 탐구가
증가하게 되었는데, 학생과 교수로 구성된 [㉣](이)가 모이는 과정에서 대학이 등장하게 되었다.

014 〉 중세 및 근대의 교육

르네상스란 14~16세기 서유럽에 나타난 문화운동으로, [㉠]
을(를) 의미한다. 이 시기 교육의 특징은 크게 개인적 인문주의와 사회적 인문주의로 구분되는데, 개인적
인문주의는 그리스의 [㉡]을(를) 기반으로 개인의 자유로운 사고와 표현을 인정하며 학생의
개성과 흥미를 존중한다. 반면, 사회적 인문주의는 교육을 통한 [㉢]을(를) 목표로 하면서
사회적 자아를 실현하는 것을 강조한다.

015 〉 중세 및 근대의 교육

종교개혁은 16~17세기 유럽에서 로마 카톨릭교회의 쇄신을 요구하며 등장한 개혁운동으로, 종교개혁
이후 나타난 신교교육의 특징은 다음과 같다. 첫째, 고타 교육령 등을 통해 특권계급을 위한 교육이 아닌
모두를 위한 교육이 중요시되면서 [㉠](이)가 등장하였다. 둘째, 라틴어로 된 성서를 다양한
언어로 번역하고 일반 대중에게 배포하는 과정에서 [㉡]에 대한 관심이 촉발되었다. 셋째,
종교개혁을 통해 등장한 신교에서는 신에 의해 주어진 소명인 직업을 강조하였는데, 이러한 과정에서
직업의 신성함과 소중함을 인식하는 [㉢]이(가) 발전하였다.

016 〈 중세 및 근대의 교육　　　　●○○

실학주의는 크게 인문적·사회적·감각적 실학주의로 구분되는데, 각각의 주요 내용은 다음과 같다. 첫째, 인문적 실학주의에서는 고전의 내용을 중시하면서 [　　　　⊙　　　　] 을(를) 강조한다. 둘째, 사회적 실학주의에서는 서적에만 머무는 교육이 아니라 [　　⊙　　]에서 이루어지는 교육을 강조하여 사회생활과 직접적으로 관련 있는 교과 학습을 중시한다. 셋째, 감각적 실학주의에서는 감각을 통해 받아들이는 경험이 모든 교육의 기초라고 주장하면서 교육방법으로서 과학기술을 활용하는 [　　⊙　　]을(를) 강조한다.

017 〈 중세 및 근대의 교육　　　　●○○

인간의 자연스러운 본성 표출을 강조한 루소는 다음의 3가지 교육원리를 제시한다. 첫째, 아동의 본성을 존중하면서 인위적 개입을 최소화하는 [　　　⊙　　　](이)다. 둘째, 자연의 법칙에 대한 다채로운 경험을 강조하는 [　　⊙　　](이)다. 셋째, 아동마다 다른 자연적 본성을 존중하는 [　　⊙　　](이)다. 이러한 원리가 반영된 「에밀」에서는 아동의 발달시기별 교사의 역할이 제시되어 있는데, 소년기에서 교사는 학생의 변화를 탐색하는 관찰자, 겸손과 솔직·정직의 모델로서 [　　⊙　　] 역할을 수행한다.

018 〈 19세기 이후의 교육

인간의 정서와 감정을 중시하는 신인문주의자로서 헤르바르트는 수업을 통해 다면적 흥미를 유발할 것을 강조하였다. 다면적 흥미란 [　　　　　⊙　　　　　]을(를) 의미한다. 한편, 헤르바르트는 4단계 교수론을 제시하는데, A 교사가 실시하려는 수업활동이 해당하는 단계는 다음과 같다. 첫째, 마인드맵을 통해 지식 간의 질서를 설명하는 단계는 [　　⊙　　](이)다. 둘째, 지식을 새로운 상황에 적용하는 활동이 이루어지는 단계는 [　　⊙　　](이)다.

Chapter 03 교육철학

중요도 ○○○

019 전통철학과 교육

진리를 무엇으로 보느냐에 따라 전통철학의 관점을 구분할 수 있다. A 교사와 같이 불변하는 진리를 가정하는 관점을 [㉠](이)라고 하며, B 교사와 같이 진리는 객관 세계의 법칙과 질서라고 가정하는 관점을 [㉡](이)라고 한다. [㉠]에 근거할 때 교육내용은 철학·신학 등 체계화된 교과에 해당하며, 주된 교육방법은 정선된 문화를 전달하는 [㉢]을(를) 활용한다. [㉡]에 근거할 때 교육내용은 수학·자연과학 등 과학적 지식에 해당하며, 주된 교육방법은 가설을 설정하고 법칙을 발견하는 [㉣]을(를) 활용한다.

020 20세기 전기의 교육철학

●●○

모든 교육의 중심에 아동을 두는 진보주의의 교육목적은 [㉠] (이)다. 이를 달성하기 위한 구체적인 교육방법으로는 첫째, 실생활과 관련한 문제를 제시하고 스스로 해결하게 하는 [㉡], 둘째, 타인과의 협력을 통해 실생활 문제를 해결하는 [㉢] 등을 들 수 있다.

021 20세기 전기의 교육철학

●●○

진보주의 교육철학 사조의 특징은 아동의 [㉠]을(를) 고려하는 교육 속에서 교사가 조력자의 역할을 수행한다는 것을 들 수 있다. 이러한 특징을 고려했을 때 진보주의 교육의 의의는 아동의 개별적 흥미와 욕구를 우선하여 [㉡]을(를) 실현한다는 점을 들 수 있다. 반면, 한계로는 교사가 조력자로서의 역할만 하는 경우 학습자를 과대평가하고 필요한 내용을 가르치지 않아 [㉢] (이)가 발생할 수 있다는 점을 들 수 있다.

022 20세기 전기의 교육철학

과거로부터 전해 오는 기본 교과의 학습을 강조하는 교육철학 사조를 ⟨　　㉠　　⟩(이)라고 한다. 이 교육철학 사조에서 강조하는 교육내용은 ⟨　　　　㉡　　　　⟩(이)라고 할 수 있으며, 이를 가르치는 교육방법은 교사 중심의 강의식 수업을 들 수 있다. 이는 기본적인 내용의 전달을 통해 기초학력 보장 측면에서 의의를 지니지만, 교사 중심의 전달만을 강조하여 ⟨　　　　　㉢　　　　　⟩에 있어서는 한계를 지닌다.

023 20세기 전기의 교육철학

A 교사는 진보주의와 본질주의를 모두 강조하고 있는데, 두 철학 사조의 차이점은 다음과 같다. 첫째, 교사 역할 측면의 경우, 진보주의에서 교사는 학생들이 다양한 경험을 통해 삶에서 필요한 지식을 습득할 수 있도록 돕는 ⟨　　㉠　　⟩ 역할을 수행한다면, 본질주의에서 교사는 문화유산이 담긴 지식을 가르치는 전달자 역할을 수행한다. 둘째, 학생활동 측면의 경우, 진보주의에서 학생은 주도적인 경험 설계와 협동학습이 주를 이룬다면, 본질주의에서 학생은 ⟨　　㉡　　⟩을(를) 통해 내용을 학습한다. 한편, 두 교육철학 사조가 현대에 주는 교육적 함의는 다음과 같다. 첫째, 진보주의는 아동의 흥미와 관심을 고려하여 학생 맞춤형 교육을 실천한다는 점에서 함의를 지닌다. 둘째, 본질주의는 기본적인 내용을 전달함으로써 학생들의 ⟨　　㉢　　⟩을(를) 신장한다는 점에서 함의를 지닌다.

024 20세기 전기의 교육철학

아들러가 제안한 파이데이아란 ⟨　　　　㉠　　　　⟩을(를) 의미한다. 이는 고전교육 강화로 이어질 수 있는데, 현대에도 고전교육이 필요한 이유는 고전을 통해 습득한 ⟨　　㉡　　⟩은(는) 일생에 걸친 성장에 기반이 되기 때문이다. 고전교육을 효과적으로 실시하는 항존주의적 방법으로는 절대적 진리에 대해 교사가 주도해서 알려주는 ⟨　　㉢　　⟩을(를) 들 수 있다.

Answer

019 ㉠ 관념론 ㉡ 실재론 ㉢ 강의식 ㉣ 실험식 / 탐구식
020 ㉠ 아동의 흥미와 욕구를 충족하면서 아동의 전인적·계속적 성장을 도모하는 것 ㉡ 문제해결학습 ㉢ 협동학습
021 ㉠ 흥미 / 욕구 ㉡ 개별 맞춤형 수업 ㉢ 기초학력 저하
022 ㉠ 본질주의 ㉡ 민족적 경험이 엄선되어 체계화된 문화유산 ㉢ 학습자의 적극적인 학습 참여 유도
023 ㉠ 조력자 ㉡ 반복과 암기 ㉢ 기초학력
024 ㉠ 모든 인류가 소유해야만 하는 일반적 학습 ㉡ 기본 교양 ㉢ 강의식 수업

---

025 **20세기 전기의 교육철학**

진보주의의 변형으로서 재건주의는 교육을 통해 새로운 사회를 건설하고자 하였다. 즉, 재건주의의 교육목적은 학생들이 사회 재건의 주체가 되도록 [　　　　⊙　　　　]을(를) 돕는 것이라고 할 수 있다. 이러한 목적을 달성하기 위한 교육방법으로는 첫째, 민주사회 구성원으로 성장하게 하는 [　　⊙　　], 둘째, 현실 사회문제에 적극적으로 대처하게 하는 [　　ⓒ　　]을(를) 제시할 수 있다.

---

026 **20세기 후기의 교육철학**　　　　　　　　　　　　　　　　　　　　　●○○

실존주의는 두 차례의 세계대전을 통해 상실된 인간성을 회복하고자 등장하였다. 따라서 실존주의 교육철학의 교육목적은 교육을 통한 [　　　　⊙　　　　](이)라고 할 수 있다. 이러한 목적 달성을 위해 부버가 강조한 교육방법의 특징은 다음과 같다. 첫째, [　　⊙　　]을(를) 통한 교육이다. 실존주의는 교사와 학생 간 대화와 토론을 통해 학생들이 스스로 각성하여 자아를 발견하도록 돕는다. 둘째, [　　ⓒ　　] 교육이다. 실존은 순간적으로 실현되었다가 소멸하므로 지속적 성장·발전을 위한 교육은 불가하다는 특징을 지닌다.

---

027 **20세기 후기의 교육철학**

피터스는 교육의 주요 개념에 대해 논리적인 언어분석을 시도했는데, 이러한 교육철학 사조를 [　　⊙　　](이)라고 한다. 이 교육철학 사조의 특징은 다음과 같다. 첫째, 교육의 정의에 분석적으로 접근하면서 교육의 준거로서 [　　　　⊙　　　　]을(를) 제시한다. 둘째, 교육의 내재적 가치인 합리성의 계발은 [　　　ⓒ　　　](으)로의 입문을 통해 달성된다고 보았다.

028 ⟨ 20세기 후기의 교육철학

2차 세계대전 이후 확대된 불평등과 인간소외 문제를 비판하면서 이를 개선하려는 시도로서 다양한
비판이론이 등장하였다. 이런 흐름에 따라 교육에서도 비판적 교육철학이 등장하였는데, 이 사조에서
추구하는 교육의 목적은 [　　　　　　　㉠　　　　　　　]시키는 것에 있다. 이를 위해
하버마스는 문제해결을 위한 가장 효율적 방법으로서 [　　㉡　　]을(를) 강조하였고, 합의에 의한
기초인 의사소통적 합리성을 추구하였다. 한편, 프레이리는 교육을 통해 인간의 비판의식을 길러주기
위해서 [　　　㉢　　　]을(를) 강조하였다.

029 ⟨ 20세기 후기의 교육철학

현대 사회의 문제가 복잡·다양해지면서 과거 절대적 진리, 합리성을 강조했던 모더니즘에 대한 비판적
인식이 확대되었다. 그러면서 포스트모더니즘이 등장하였는데, 포스트모더니즘 교육철학에서는 지식이
상황에 따라 변화한다는 지식의 [　　　㉠　　　]을(를) 가정한다. 이러한 지식관에 근거할 때 이 교육
철학의 특징은 다음과 같다. 첫째, 교육과정 측면에서 국가 중심의 공통 교육과정에서 벗어나
[　　　　㉡　　　　]을(를) 강조한다. 둘째, 교육방법 측면에서 상황에 따른 지식의 주체적인
활용을 위해 [　　　㉢　　　]을(를) 강조한다.

030 ⟨ 20세기 후기의 교육철학　　　　　　　　　　　　　　　　●○○

신인문주의에서 강조한 주정주의적 교육을 이어받아 홀리스틱 교육이 등장하게 되었다. 이러한 홀리스틱
교육의 교육목적은 [　　　　　　㉠　　　　　　](이)라고 할 수 있다. 이러한 목적을 달성하기
위해 제시된 교육원리 3가지는 다음과 같다. 첫째, [　　㉡　　]의 원리이다. 이분법적인 사고에서
벗어나 대립하는 여러 요소들의 조화로운 학습을 강조한다. 둘째, [　　㉢　　]의 원리이다. 기존의
전달 중심 교육뿐 아니라 교사−학생 간의 교류 학습까지 모두 중시한다. 셋째, [　　㉣　　]의 원리
이다. 교과와 교과, 학습자와 교육과정, 지역사회와 학교 등 기존에 분리되어 있던 것의 관련성 회복을
강조한다.

Answer

025 ㉠ 사회적 자아의 실현　㉡ 협동학습　㉢ 문제해결학습

026 ㉠ 학생의 주체성(실존성) 회복　㉡ 만남　㉢ 비연속적

027 ㉠ 분석철학　㉡ 규범적·인지적·과정적 준거　㉢ 지식의 형식

028 ㉠ 현대 사회의 구조적 모순을 극복하면서 인간을 해방　㉡ 의사소통　㉢ 문제제기식 교육

029 ㉠ 상대성　㉡ 지역별·학교별 자율 교육과정　㉢ 학생 주체적 활동 중심의 수업

030 ㉠ 전인교육을 통한 인간성의 발달　㉡ 균형　㉢ 포괄　㉣ 연관

Ⅱ

교육과정

Chapter 01 　교육과정의 이해

031 〈 교육과정의 의미

교육과정에 대해 어떠한 접근방법을 취하느냐에 따라 교육과정 운영방식이 달라진다. 교육과정 접근방법은 크게 코스에 초점을 두는 접근과 달리기에 초점을 두는 접근으로 구분되는데, 코스에 초점을 두는 접근은 교육과정을 어디에서나 동일하게 적용할 수 있도록 목표를 표준화함에 따라 ［　　　　㉠　　　　］을(를) 확보하는 데 용이하다는 장점이 있다. 그러나 지나치게 목표의 표준화를 강조하여 ［　　㉡　　］ 을(를) 고려하지 못한다는 단점이 있다. 한편, 달리기에 초점을 두는 접근은 교육과정 내에서 학생들이 경험하는 ［　　㉢　　］을(를) 강조하여 학생들의 다양한 교육적 경험을 이해할 수 있다는 장점이 있다. 그러나 학생별 경험의 내용이 다르다 보니 교육과정을 ［　　㉣　　］하기 곤란하다는 단점이 있다.

032 〈 교육과정의 성격　　　　　　　●●●

교육과정을 개발하고 운영할 때 다음의 요소를 고려해야 한다. 첫째, ［　　㉠　　］(이)다. 시대에 따라 중요한 내용이 변화하므로 이를 고려해야 한다. 둘째, ［　　㉡　　］(이)다. 교육의 궁극적 목적은 학습자의 개별적 성장이므로 이를 고려해야 한다. 셋째, ［　　㉢　　］(이)다. 공교육은 사회의 안정과 발전을 목적으로 하므로 이를 반영해야 한다.

033 〈 교육과정의 구분　　　　　　　●●○

국가의 책임과 단위학교의 자율성 간 균형이 강조되면서 교육과정 대강화의 중요성이 커지고 있다. 교육과정 대강화란 큰 틀에서 국가는 포괄적이고 기본적인 ［　㉠　］만 제시하고 세부적인 내용에 대한 결정권은 학교에 부여하는 것을 의미한다. 이러한 교육과정 대강화의 교육적 의의는 다음과 같다. 첫째, 국가는 종래에 공식적 교육과정으로 인정받지 않던 자율활동, 동아리활동, 진로활동에 대해서도 기본적인 기준을 제시함으로써 ［　㉡　］의 범위를 확대한다. 둘째, 지역·학교·교사에게 자율권을 부여함으로써 ［　　㉢　　］을(를) 실천할 수 있다.

034 〈 교육과정의 구분

잠재적 교육과정이란 공식적 교육과정에서 ⓐ 하지 않았으나 수업 또는 학교의 관행으로 학생들이 은연중에 배우는 가치, 태도, 행동양식과 같이 교육 결과로서 경험된 교육과정을 의미한다. 잭슨이 제시한 잠재적 교육과정의 발생 원천은 다음과 같다. 첫째, ⓑ (이)다. 학생들이 모인 교실에서 인내심과 같은 집단의 가치를 획득한다. 둘째, ⓒ (이)다. 교실 내에서 동료 학생이 평가받는 모습을 보며 살아가는 방법을 획득한다. 셋째, ⓓ (이)다. 교사와 학교의 권위에 적응하면서 학교에 적응하는 방법을 획득한다.

035 〈 교육과정의 구분

제시문에서는 사회 지배층의 이익을 반영하는 교육내용이 계획적이면서 은밀하게 반영된 교육과정을 제시하고 있는데, 이러한 교육과정을 ⓐ (이)라 한다. 이 교육과정을 지적하는 학자들은 학교를 폐지하고 학교에 대한 대안으로 학습을 위한 네트워크인 학습망을 제시한다. 누구나 학습자료에 접근할 수 있다는 특징 외에 학습망의 특징은 다음과 같다. 첫째, 자신이 보유한 기능과 연락처를 등록한 ⓑ 을(를) 통해 자신의 기능을 학습하기를 원하는 학습자에게 자신의 기술을 가르칠 수 있다. 둘째, 함께 학습하기를 원하는 사람의 인명록인 ⓒ 을(를) 통해 서로 교사·경쟁자가 되면서 서로의 기술·지식 습득에 도움을 줄 수 있다. 셋째, 교사를 넘어 새로운 전문가에 대한 인명록인 ⓓ 을(를) 통해 다양한 전문가를 만날 수 있다.

031 ⓐ 교육의 형평성 / 공교육의 질 ⓑ 개별·학교별 특수성 ⓒ 상호작용 ⓓ 표준화
032 ⓐ 교과(지식) ⓑ 학습자 ⓒ 사회
033 ⓐ 기준 / 표준 ⓑ 책임교육 / 공교육 ⓒ 학습자 맞춤형 교육
034 ⓐ 의도 / 계획 ⓑ 군집성 ⓒ 칭찬 ⓓ 권력
035 ⓐ 숨겨진 교육과정 ⓑ 기능교환망 ⓒ 동료망 ⓓ 교육자망

036 교육과정의 구분　●●●

아이즈너가 언급한 영 교육과정이란 ［　　　　　　㉠　　　　　　］
을(를) 의미한다. 예를 들어 일본의 역사 교과서에서 한국에 대한 침략 내용을 의도적으로 배제하는
것을 들 수 있다. 한편, 영 교육과정으로 인해 발생하는 부정적 효과는 다음과 같다. 첫째, 학습자 측면에서
중요한 내용이 고의로 배제되므로 학습자의 ［　　　㉡　　　］을(를) 침해할 수 있다. 둘째, 교과 측면에서
가치 있고 중요한 교과 지식이 반영되지 않을 수 있다. 셋째, 사회 측면에서 특정 집단, 특정 이데올로기의
이익만 반영한 편향된 교육이 나타나 균형 있는 ［　　　㉢　　　］에 제약이 될 수 있다.

037 공식적 교육과정의 구분　●○○

국가 교육과정의 특징은 다음과 같다. 첫째, 개발의 측면에서 ［　　㉠　　］이(가) 주도하여 개발한다.
둘째, 운영의 측면에서 국가가 개발한 교육과정을 전국의 단위학교가 ［　　㉡　　］으로 운영한다. 해당
특징으로부터 발생하는 단점은 다음과 같다. 첫째, 국가 주도로 개발하므로 ［　　㉢　　］을(를)
반영하기가 곤란하다. 둘째, 전국적으로 동일하게 운영하는 과정에서 교사의 ［　　㉣　　］이(가)
제약된다.

038 공식적 교육과정의 구분　●○○

지역 교육과정이란 국가 교육과정을 토대로 각 시·도 교육청이 시·도별 실정 및 여건을 고려하여 교육
과정에 반영한 문서라고 할 수 있다. 지역 교육과정의 특징은 다음과 같다. 첫째, 개발의 측면에서
［　　㉠　　］이(가) 주도하여 개발한다. 둘째, 운영의 측면에서 시·도 교육청은 운영의 큰 방향만 제시
하고 단위학교에 운영상 ［　　㉡　　］을(를) 부여한다. 이러한 특징으로부터 발생하는 장점은 다음과
같다. 첫째, 시·도가 주도하여 개발함으로써 ［　　㉢　　］을(를) 충분히 반영할 수 있다.
둘째, 단위학교에 운영상 자율권을 부여함으로써 학교별 ［　　㉣　　］ 교육과정을 운영할 수 있게 된다.

039 〉 공식적 교육과정의 구분　　●●●

학교의 특성을 고려하고 교사에게 교육과정 운영상 재량권을 부여하는 학교 교육과정의 장점은 다음과 같다. 첫째, 학교의 특성을 고려하여 단위학교의 [　　⑦　　]에 적기 대응할 수 있다. 둘째, 교사에 재량권을 부여하면 교육과정 전문가로서 교사의 [　　ⓒ　　]을(를) 높일 수 있다. 그러나 학교 교육과정의 단점은 다음과 같다. 첫째, 학교의 전문성 부족 등으로 개발에 많은 [　　ⓒ　　]이(가) 소요된다는 단점이 있다. 둘째, 교사별 역량 차이가 그대로 교육과정 운영에 반영되어 학교별 [　　ⓔ　　]이(가) 심화될 수 있다.

040 〉 공식적 교육과정의 구분　　●○○

공식적 교육과정을 변화 단계에 따라 분류하면 다음과 같다. 첫째, 계획한 교육과정이다. 이는 국가, 지역, 학교 등 기관이 [　　⑦　　](으)로써 만든 교육과정을 의미한다. 둘째, 실행한 교육과정이다. 이는 [　　　　ⓒ　　　　]을(를) 의미한다. 셋째, 경험한 교육과정이다. 이는 교수학습의 과정을 통해 학생들에게 구현되고 학생들이 결과적으로 획득한 [　　ⓒ　　]을(를) 의미한다.

041 〉 공식적 교육과정의 구분

글래트혼은 공식적 교육과정이 실제로 전개되는 모습을 이해하기 위해 실제적 교육과정을 제시하였다. 실제적 교육과정의 세부 유형은 다음과 같다. 첫째, [　　⑦　　](이)다. 이는 교사들이 교실에서 실제로 교수한 교육내용을 의미한다. 둘째, [　　ⓒ　　](이)다. 이는 학생들이 교실에서 실제로 학습한 경험으로서 교육내용을 의미한다. 셋째, [　　ⓒ　　](이)다. 이는 교수학습의 결과로 평가되는 교육내용을 의미한다.

Answer

036 ⑦ 가르칠만한 가치가 있고, 교육목표에도 부합하지만 공식적 교육과정에서 고의로 배제되어 학습할 기회를 가지지 못하는 교육내용
　　　ⓒ 학습권　ⓒ 사회인재 육성 / 사회 발전
037 ⑦ 국가　ⓒ 통일적　ⓒ 지역의 수요 / 지역의 특수성　ⓔ 자율성
038 ⑦ 지역 / 시·도 교육청　ⓒ 자율권　ⓒ 지역적 교육 수요　ⓔ 특색 있는 / 맞춤형
039 ⑦ (교육적) 수요　ⓒ 사기 / 동기　ⓒ 비용 / 노력　ⓔ 교육 격차
040 ⑦ 문서　ⓒ 교사가 실제로 전개한 실천적인 수업행위　ⓒ 경험 / 성취 / 태도
041 ⑦ 가르친 교육과정　ⓒ 학습된 교육과정　ⓒ 평가된 교육과정

Chapter 02 교육과정의 역사

중요도 ○○○

042 교육과정 이해 패러다임 전환기 ●○○

타일러를 비롯한 처방적 접근에서는 구체적 목표를 중심으로 학습경험 선정, 학습경험 조직, 학습성과 평가로 이어지는 합리적 교육과정 개발방식을 정립하였다. 이러한 처방적 접근은 기존의 교육과정 논의를 종합함으로써 [㉠   ]할 수 있는 교육과정 개발 모형을 제시했다는 점에서 의의를 지니나, 실제 교육과정 개발 과정을 지나치게 단순화하여 [㉡   ]을(를) 반영하는 데 한계를 지닌다. 이러한 처방적 접근에 대한 한계를 인식하여 슈왑 등은 대안으로서 서술적 접근을 제시하는데, 서술적 접근이란 교육과정 개발방식을 [㉢   ] 서술하는 접근방식을 의미한다. 슈왑은 실제 교육과정 개발이 숙의를 통해 이루어진다고 서술하면서 숙의의 4가지 요소의 균형 있는 고려가 필요하다고 제시하는데, 그 요소는 학습자, 교과, 환경, [㉣   ](이)다.

043 교육과정의 재개념주의 ●●○

실존적 재개념주의자인 파이나는 학습의 개인적 성격에 주목하면서 학습자를 이해하는 방법으로 쿠레레 방법론을 제시하였다. 쿠레레 방법론의 구체적 단계는 다음과 같다. 첫째, [㉠   ](이)다. 이는 자신의 과거 경험을 상세하게 묘사하는 단계이다. 둘째, 진보이다. 이는 [㉡   ]을(를) 통해 미래의 모습을 상상하는 단계이다. 셋째, [㉢   ](이)다. 이는 과거-현재-미래의 관계성을 탐구하는 단계이다. 넷째, 종합이다. 이는 교육경험이 현재의 자신에게 주는 [㉣   ]을(를) 탐구하는 단계이다.

044 교육과정의 재개념주의

애플은 구조적 재개념주의를 주장하면서 공식적 교육과정에 대해 비판적 입장을 취하였다. 애플은 공식적 교육과정은 [㉠]을(를) 정당화하고, 교육과정의 설계는 인간의 모든 행위를 법칙화하려는 기술공학적 논리를 따른다고 비판하였다. 그는 교사가 주류 교육과정 내에서 탈숙련화와 재숙련화를 거치면서 수동적 존재로 전락한다고 주장하는데, 탈숙련화란 교사가 자신만의 창의적 교재를 만드는 대신 표준화된 교육과정에 따라 목표, 내용, 방법을 그대로 실행하는 [㉡] 교사로 전락하는 현상을 의미한다. 또한, 재숙련화란 탈숙련화된 교사가 주어진 교육과정이 잘 운영되는지만 확인하는 [㉢](으)로 재숙련화된다는 것을 의미한다.

Chapter 03 　교육과정의 유형

중요도 ○○○

---

045 〈 교과를 중심으로 한 교육과정

교과중심 교육과정은 고전교과를 통해 정신의 근력을 단련해야 한다는 이론을 전제로 하는데, 이러한
이론을 [㉠](이)라고 한다. 이 이론에 따른 교과중심 교육과정의 특징은 다음과 같다. 첫째,
목표 측면에서 교과중심 교육과정의 교육목표는 문화·전통의 전수를 통한 [㉡]
에 있다. 둘째, 내용 측면에서 문화유산 중 가장 중요한 내용이 반영된 [㉢]을(를) 주요 교육
자료로 활용한다. 셋째, 방법 측면에서 가장 중요한 내용을 전달하는 [㉣] 수업을 주로 활용
한다.

---

046 〈 교과를 중심으로 한 교육과정

●○○

고전을 통한 이성과 합리성의 계발을 강조한 교과중심 교육과정의 조직 유형은 크게 3가지로 구분된다.
첫째, [㉠](이)다. 이는 개별 교과 간 횡적인 연관이 전혀 없이 분명한 종적 체계를 가지고
조직하는 유형이다. 둘째, [㉡](이)다. 이는 교과내용을 무너뜨리지 않으면서도 2개 이상의
교과를 서로 관련된 주제를 중심으로 조직하는 유형이다. 셋째, 광역형이다. 이는 전통적 교과의 경계를
넘어 사실과 원리, 주제 중심으로 [㉢]하여 조직하는 것을 의미한다.

---

047 〈 교과를 중심으로 한 교육과정

●●○

교과 구분을 무너뜨리지 않으면서 교과 간 내용을 연결하는 상관형의 세부 유형은 다음과 같다. 첫째,
[㉠]의 상관이다. 역사적 사실이나 통계 등 개별 교과에서 다루는 사실과 정보를 연계하는 방식
이다. 둘째, [㉡]의 상관이다. 여러 교과에 걸친 이론 또는 법칙을 통해 개별 교과의 지식을 설명
하거나 적용하는 방식이다. 셋째, [㉢]의 상관이다. 공통의 가치, 윤리적 원칙을 통해 지식을
설명하거나 적용하는 방식이다.

048 〉 교과를 중심으로 한 교육과정　●●●

학문중심 교육과정이 추구하는 목표는 개별 교과의 지식의 구조를 발견하면서 학습자의 [　⊙　] 을(를) 계발하는 데 있다. 이때 지식의 구조란 [　　　　⊙　　　　] (이)라고 할 수 있다. 이러한 지식의 구조를 학습했을 때 장점은 다음과 같다. 첫째, [　ⓒ　] (이)다. 학습자는 핵심 개념, 원리를 소유하면 충분하고 다른 세부적인 지식을 암기하지 않아도 되므로 머릿속에 저장해야 할 정보의 양이 이전보다 적게 된다. 둘째, [　ⓔ　] (이)다. 지식의 구조를 알면 이를 바탕으로 다른 지식을 습득하고 새로운 지식을 창출하는 데 용이하다.

049 〉 교과를 중심으로 한 교육과정　●●○

학문중심 교육과정에서는 지식의 구조를 학습하기 위해서 교육과정을 나선형으로 조직한다. 이러한 나선형 교육과정의 내용 조직 원리는 다음과 같다. 첫째, [　⊙　] (이)다. 핵심적인 개념과 원리를 지속적으로 반복하면서 학습자가 자연스럽게 체득하도록 한다. 둘째, [　ⓛ　] (이)다. 핵심 내용을 단순 반복하는 것이 아니라 학습자의 발달 수준을 고려하면서 나선형의 형태로 심화시킨다. 이때 교사가 지식을 적절하게 표현하는 것이 중요한데, 지식의 경우 EIS 이론에 근거하여 구체적인 행동에서 반추상적 영상, 마지막으로 [　ⓒ　] (으)로 점차 심화하여 표현한다. 또한, 지식의 구조 발견을 위해 교사는 학습자 스스로 어떤 사실로부터 근본적인 개념과 원리를 찾을 수 있도록 유도하는 [　ⓔ　] 을(를) 실시한다.

050 〉 교과를 중심으로 한 교육과정　●○○

지식의 구조 발견을 위해 발견학습을 강조하는 학문중심 교육과정의 장점은 다음과 같다. 첫째, 교과와 학문은 공통의 지식의 구조를 갖고 있다고 가정하면서 교과와 학문의 [　⊙　] 을(를) 강화할 수 있다. 둘째, 학습자 주도의 발견학습을 강조해 학습자의 [　ⓛ　] 이(가) 향상될 수 있다. 그러나 단점은 다음과 같다. 첫째, 교과별 고유한 지식의 구조를 지나치게 강조하면 [　ⓒ　] 이(가) 어려울 수 있다. 둘째, 발견학습은 상대적으로 우수한 학생들에게 친화적이고 학습 자체가 어려워 학습 능력이 다소 부족한 학생들은 [　ⓔ　] 이(가) 낮아질 수 있다.

Answer

045　⊙ 형식도야론(능력심리학) ⓛ 이성과 합리성의 계발 ⓒ 고전교과 / 교과서 ⓔ 강의식 / 설명식
046　⊙ 분과형 ⓛ 상관형 ⓒ 통합
047　⊙ 사실 ⓛ 원리 ⓒ 규범
048　⊙ 지력 / 탐구능력 ⓛ 학문을 구성하고 있는 근본적인 개념과 원리 ⓒ 경제성 ⓔ 생성력
049　⊙ 계속성 ⓛ 계열성 ⓒ 추상적 상징(언어) ⓔ 발견학습
050　⊙ 연계성 ⓛ 자기주도성 / 탐구능력 / 내재적 동기 ⓒ 교과 간 통합 ⓔ 학습 동기 / 흥미 / 성취도(성적)

051 〈 교과를 중심으로 한 교육과정

학교에서 다루는 지식에 관한 피터스와 후기 허스트의 특징은 다음과 같다. 첫째, 지식의 형식으로의 입문을 강조한 피터스는 교육의 [㉠] 가치를 강조하면서 학생의 합리성을 계발하는 전통 교과를 강조하였다. 둘째, 사회적 실재로의 입문을 강조한 후기 허스트는 피터스의 이론이 지나치게 학문중심적이고 실생활과의 연결이 부족하므로 교육을 통해 다양한 [㉡]을(를) 경험할 것을 강조하였다. 한편, 영은 역량중심 교육에 대해 비판적 입장을 취하면서 강력한 지식을 교육과정에 반영할 것을 강조하였는데, 강력한 지식은 학생들이 세상을 이해하고 설명하는 데 도움을 주고 일상적인 경험을 넘어설 수 있는 능력을 부여하는 학문별 [㉢]을(를) 의미한다.

052 〈 교과를 중심으로 한 교육과정　　　　　　　　　●●○

블룸 등의 교육목표 분류학에서는 교육목표를 인지적 영역과 정의적 영역에 따라 위계화하는데, 영역별 위계화 기준은 다음과 같다. 첫째, 인지적 영역의 경우 인지활동의 [㉠]을(를) 기준으로 위계화한다. 둘째, 정의적 영역의 경우 학습내용·활동의 [㉡]을(를) 기준으로 위계화한다. 한편, 메이거는 구체적인 수업목표를 3가지 요소로 설명하는데, 학습결과를 확인할 수 있는 관찰 가능한 행동인 [㉢], 어떠한 상황에서 도착점행동이 나타나는지와 관련된 상황 및 조건, 도착점행동의 달성 여부를 판단하는 기준인 [㉣]이(가) 이에 해당한다.

053 〈 교과를 중심으로 한 교육과정　　　　　　　　　●○○

교육목표 분류학과 비교되는 신 교육목표 분류학의 특징은 다음과 같다. 첫째, 목표를 1차원적으로 분석한 교육목표 분류학과 달리, 신 교육목표 분류학에서는 지식 차원과 [㉠] 차원 등 2차원적으로 분석한다. 둘째, 지식을 사실·용어의 암기로만 본 교육목표 분류학과 달리, 신 교육목표 분류학에서는 지식을 사실·개념·절차·[㉡] 지식으로 세분화하는 명사적 측면과, '기억하다'라는 동사적 측면으로 구분한다. 셋째, 이해·적용·분석을 명사의 형태로 제시한 교육목표 분류학과 달리, 신 교육목표 분류학에서는 용어를 유지하되 '~하다'와 같은 [㉢](으)로 변환한다. 넷째, 종합보다 평가의 위계 서열을 높게 본 교육목표 분류학과 달리, 신 교육목표 분류학에서는 종합은 [㉣]하다', 평가는 '평가하다'로 변화하되 둘 간의 위계 서열을 변화시킨다.

054 ｜ 학습자를 중심으로 한 교육과정

경험중심 교육과정의 교육목표는 [㉠]시키는 데 있다. 이를 달성하기 위해 듀이가 제시한 교육과정 선정·조직의 원칙 3가지는 다음과 같다. 첫째, 학습자 누구나 경험할 수 있도록 학교교과는 학습자의 [㉡](으)로부터 추론하는 원칙이다. 둘째, 학습 경험을 점차 발달시키기 위해 학교교과는 이미 경험한 것을 조금 더 충분하고 풍성하게 조직하는 원칙이다. 셋째, 직업·공동체적 삶 등 일상적 문제를 이해하도록 학교교과는 학교 안과 바깥 삶의 [㉢] 성격에 초점을 두는 원칙이다.

055 ｜ 학습자를 중심으로 한 교육과정　●●●

제시문에 따르면 최근에는 교사와 학생이 협력하여 학습경험을 조직하는 방식이 강조되고 있는데, 이러한 조직방식은 경험중심 교육과정의 내용조직 유형 중 [㉠](으)로서 학생의 자율적 참여를 특징으로 한다. 이러한 유형은 학생 참여를 바탕으로 학생의 [㉡]을(를) 고려한 맞춤형 교육과정을 조직할 수 있다는 장점이 있지만, 학생 참여의 질적 차이에 따라 학교별 [㉢]이(가) 크게 발생할 수 있다.

056 ｜ 학습자를 중심으로 한 교육과정　●●○

경험중심 교육과정의 특징은 다음과 같다. 첫째, 목표 측면에서 학생의 흥미와 필요를 고려하여 아동의 계속적 성장을 목표로 한다. 둘째, 내용 측면에서 아동이 경험하는 [㉠]을(를) 학습경험으로 선정·조직한다. 셋째, 방법 측면에서 [㉡]와(과) 같이 학생들이 직접 행하면서 배우는 학습자 중심 수업을 강조한다. 넷째, 평가 측면에서 [㉢]와(과) 같은 실생활 문제해결능력 평가를 실시한다.

Answer

051 ㉠ 내재적 ㉡ 삶의 실제 / 실제 삶 / 경험 ㉢ 최상의 지식
052 ㉠ 복잡성 ㉡ 내면화 정도 ㉢ 도착점행동 ㉣ 수락 기준
053 ㉠ 인지과정 ㉡ 메타인지 ㉢ 동사 ㉣ 창안
054 ㉠ 아동의 흥미를 고려한 교육을 통해 아동이 논리적 지식에 접근하게 하여 계속적으로 성장 ㉡ 현재 경험 ㉢ 사회적
055 ㉠ 생성형 ㉡ 관심 / 흥미 ㉢ 교육 격차
056 ㉠ 실생활 / 실제 삶 ㉡ 협동학습 / 프로젝트 학습 / 실험·실습 ㉢ 수행평가

057 〈 학습자를 중심으로 한 교육과정

기존 교육과정의 지나친 합리성 추구에 반발하며 등장한 인간중심 교육과정은 [　　　　㉠　　　　]
을(를) 목적으로 한다. 이를 달성하기 위한 교육방법의 특징은 다음과 같다. 첫째, 엄격하고 형식화된
교육에 반대하고 학생에게 따뜻하고 우호적인 수업을 통해 [　　㉡　　]을(를) 실천한다. 둘째, 정보와
지식만 전달하기보다는 학생의 [　　㉢　　]에 초점을 둔다. 셋째, 목표나 학습내용 선택에 있어서
학습자에게 [　　㉣　　]을(를) 보장한다.

058 〈 사회를 중심으로 한 교육과정

기존 교육과정이 실제 생활활동과의 관련성이 부족하다고 비판한 생활적응 교육과정에서는 항상적 생활
사태를 교육과정에 반영할 것을 강조하는데, 항상적 생활사태란 [　　　　㉠　　　　]
을(를) 의미하는 것으로, 개인 능력의 성장, 사회적 참여의 증가, 환경적 요인을 다루는 능력을 포괄한다.
이를 중시하는 학습의 장점은 다음과 같다. 첫째, 교육내용이 실제 상황과 직접적 관련성이 있어 교육을
통해 사회질서에 적응하는 [　　㉡　　]을(를) 육성할 수 있다. 둘째, 암기 중심의 수업을 탈피하여
실생활 적응 능력과 관련한 교육이 주를 이루므로 [　　㉢　　](으)로부터 학생을 자유롭게 한다.

059 〉 사회를 중심으로 한 교육과정　●○○

중핵 교육과정의 특징은 다음과 같다. 첫째, 중요한 내용을 핵심에 두고 주변 교과내용을 □ ㉠ □ 하여 구성한다. 둘째, 중핵 학습을 위해 학습자의 참여 중심 수업을 강조한다. 이러한 특징을 고려했을 때 장점은 다음과 같다. 첫째, 핵심을 중심으로 주변 교과내용을 연결함으로써 지식의 □ ㉡ □ 을(를) 학습할 수 있다는 장점이 있다. 둘째, 학습자 참여 중심 수업을 통해 학습자의 □ ㉢ □ 을 (를) 유발할 수 있다.

060 〉 역량을 중심으로 한 교육과정　●●●

최근 OECD 2030 등을 통해 역량중심 교육과정이 강조되고 있는데, 이때 역량이란 복잡한 요구를 충족하기 위하여 □ ㉠ □ 을(를) 동원하는 능력을 의미한다. 역량중심 교육과정에서는 학생의 행위주체성 함양을 강조하는데, 행위주체성의 세부 개념 요소는 다음과 같다. 첫째, □ ㉡ □ (이)다. 학습자들은 자발적으로 목표를 설정하고 계획할 수 있어야 한다. 둘째, □ ㉢ □ (이)다. 학습자들은 자신의 학습과정을 지속적으로 모니터링하고 수정할 수 있어야 한다. 셋째, □ ㉣ □ (이)다. 학습자들은 비판적 사고와 창의적 결과물을 생산하고 공동체의식 아래 이를 타인과 공유할 수 있어야 한다.

Answer

057 ㉠ 학습자의 자아실현 ㉡ 전인교육 ㉢ 동기 / 흥미 ㉣ 선택권

058 ㉠ 학습자가 항상 직면하고 있는 생활장면 ㉡ 생활인 ㉢ 학업 스트레스

059 ㉠ 통합 / 연계 ㉡ 상호 관련성 ㉢ 학습 동기

060 ㉠ 지식, 기능, 태도와 가치 ㉡ 자율성 ㉢ 자기성찰 ㉣ 책임을 통한 공유

Chapter 04 교육과정의 개발

중요도 ○○○

---

061 전통적 교육과정 개발모형과 개선 ●●○

타일러의 합리적 교육과정 개발모형에서 제시하는 4단계는 다음과 같다. 첫째, [　　　⑤　　　](이)다.
이 단계에서는 자원을 가지고 임시적 목표를 설정하고 정선하여 구체적 행동 용어로 학습목표를 진술한다.
둘째, [　　ⓛ　　](이)다. 이 단계에서는 기회의 원칙 등 학습경험 선정의 원칙에 따라 교육목표를 달성
할 수 있는 학습경험을 선정한다. 셋째, 학급경험 조직이다. 이 단계에서는 학습 효과성을 제고하기
위해 [　　　　ⓒ　　　　]의 원칙에 따라 학습 순서를 설정한다. 넷째, 학습성과 평가이다.
이 단계에서는 교육과정 및 수업에 의한 [　　　ⓔ　　　] 정도를 평가한다.

---

062 전통적 교육과정 개발모형과 개선 ●○○

타일러의 합리적 교육과정 개발모형에서는 구체적 목표의 설정을 강조한다. 이를 위해 우선 임시적
교육목표를 설정하는데, 이때 활용하는 자원은 다음과 같다. 첫째, [　　　　　⑤　　　　　](이)다.
이는 목표에 반영될 가장 중요한 지식을 추리기 위해 필요하다. 둘째, [　　ⓛ　　]에 대한 선행연구
이다. 이는 학습자의 수준을 고려한 목표를 수립하기 위해 필요하다. 셋째, [　　　ⓒ　　　](이)다.
이는 공교육의 특성상 사회의 요구사항을 반영하기 위해 필요하다.

---

063 전통적 교육과정 개발모형과 개선

타일러의 합리적 교육과정 개발모형에서는 교과·사회·학습자에 대한 연구를 바탕으로 임시적 목표를
수립한 이후 이를 구체적 목표로 정선하는데, 이때 활용하는 기준은 다음과 같다. 첫째, [　　⑤　　]
(이)다. 임시적 교육목표가 가르칠 가치가 있는지 확인한다. 둘째, [　　ⓛ　　](이)다. 임시적 교육
목표를 가르칠 수 있는지, 학습자가 학습할 수 있는지 확인한다. 이러한 정선 과정을 거친 구체적 행동
목표에 포함될 요소는 다음과 같다. 첫째, [　　ⓒ　　](이)다. 학습 이후 학생들이 알게 될 지식,
경험 등이 반영되어야 한다. 둘째, [　　ⓔ　　](이)다. 학습을 통해 학생들이 행하게 되는 기능이나
태도 등이 반영되어야 한다.

064 ⟨ 전통적 교육과정 개발모형과 개선　　　　　　　　　　●●●

타일러는 학습경험 선정을 위해 일반적 원칙을 제시한다. 이 중 A 교사가 언급한 내용에 해당하는 원칙은 다음과 같다. 첫째, A 교사는 학생들이 실제로 경험하기 쉬운 주제를 선정하였는데, 이처럼 학생들이 실제로 경험 가능한 주제를 다룬다는 원칙을 [　　　　㉠　　　　](이)라 한다. 둘째, A 교사는 이제 막 중학교 1학년이 된 학생들의 수준을 고려하여 보충 자료를 제공하고자 하는데, 이처럼 학생들의 발달 수준·능력을 고려하여 경험이 가능하게 해야 한다는 원칙을 [　　　　㉡　　　　](이)라 한다. 셋째, A 교사는 토론을 통해 원래 학습목표뿐만 아니라 타인의 주장을 경청하는 능력, 상호작용하는 능력 등도 성취할 것으로 기대하는데, 이처럼 하나의 경험이 여러 가지 목표 달성에 관련되어야 한다는 원칙을 [　　　　㉢　　　　](이)라 한다.

065 ⟨ 전통적 교육과정 개발모형과 개선　　　　　　　　　　●●●

타일러가 제시한 학습경험 조직의 원칙은 다음과 같다. 첫째, 계속성의 원칙은 핵심적인 교육과정의 요소가 [　　㉠　　]되도록 조직해야 한다는 것을 의미한다. 이러한 원칙을 적용하면 중요한 내용을 반복함으로써 중요한 내용을 인식하고 파지하는 데 도움을 준다. 둘째, 계열성의 원칙은 단순 반복이 아니라 반복될 때마다 핵심적 요소의 경험 수준과 범위가 [　　　　㉡　　　　] 조직되어야 한다는 것을 의미한다. 이러한 원칙을 적용하면 학습경험을 심화시켜 학생들이 깊이 있는 사고를 하는 데 도움을 준다. 셋째, 통합성의 원칙은 교육과정의 핵심적인 요소가 여러 교과에서 다루어지도록 조직해야 한다는 것을 의미한다. 이러한 원칙을 적용하면 여러 교과 지식을 활용한 학습경험을 통해 [　　㉢　　] 사고를 하는 데 도움을 준다.

Answer

061　㉠ 교육목표 설정 ㉡ 학습경험 선정 ㉢ 계속성, 계열성, 통합성 ㉣ 목표의 실현(목표달성)

062　㉠ 교과 전문가의 견해 ㉡ 학습자 ㉢ 사회에 대한 연구결과

063　㉠ 교육철학 ㉡ 학습심리학 ㉢ 내용(요소) ㉣ 행동(요소)

064　㉠ 기회의 원칙 ㉡ 가능성의 원칙 ㉢ 일 경험 다 목표의 원칙

065　㉠ 반복 ㉡ 더 깊어지고 넓어지도록 / 점점 더 깊고 넓게 ㉢ 통합적

---

066 〈 **전통적 교육과정 개발모형과 개선**　　　　　　　　　　　　　　　　●○○

사전에 구체적 행동목표의 설정을 강조하는 타일러의 합리적 교육과정 개발모형의 장점은 다음과 같다.
첫째, 사전에 학습목표를 설정함으로써 [　　　⊙　　　]을(를) 분명하게 제시한다. 둘째, 구체적
행동 용어로 목표를 진술하게 하여 추후 목표 달성도 평가를 용이하게 해준다. 반면, 이 모형의 단점은
다음과 같다. 첫째, 목표의 사전 설정만 강조하여 수업 중 생기는 [　　⊙　　] 목표의 중요성을 간과
한다. 둘째, 창의성 등과 같은 [　　⊙　　] 영역의 목표는 구체적인 행동 용어로 진술하기 어려워
명확한 평가를 곤란하게 한다.

---

067 〈 **전통적 교육과정 개발모형과 개선**　　　　　　　　　　　　　　　　●●●

타일러의 합리적 교육과정 개발모형과 비교되는 타바의 단원개발 모형의 특징은 다음과 같다. 첫째,
교육과정 개발 주체를 교과전문가·행정가 등으로 보는 타일러 모형과 달리, 타바 모형에서는
[　　⊙　　](이)가 교육과정 개발의 주체라고 본다. 둘째, 교육과정 개발의 시작을 목표설정으로
제시하는 타일러 모형과 달리, 타바 모형에서는 목표설정 이전에 [　　⊙　　]을(를) 우선적으로 제시
한다. 셋째, 한번 정해진 목표는 불변한다는 타일러 모형과 달리, 타바 모형에서는 검증과 개선을 통한
목표의 [　　⊙　　]을(를) 긍정한다. 넷째, 학습내용과 경험을 구분하지 않는 타일러 모형과 달리,
타바 모형에서는 학습내용과 경험을 구분한다.

---

068 〈 **전통적 교육과정 개발모형과 개선**　　　　　　　　　　　　　　　　●○○

타바의 단원개발 모형에 따르면 시험적 교수학습 단원을 구성한 이후에는 단원을 검증해야 하는데,
이때 검증의 기준은 다음과 같다. 첫째, [　　⊙　　](이)다. 시험 단원의 내용이 최신의 정보인지,
정확한 지식인지 확인한다. 둘째, [　　⊙　　](이)다. 시험 단원의 내용이 처음에 설정한 교육목표
달성에 적합한지 검토한다. 셋째, [　　⊙　　](이)다. 시험 단원 내용의 수준이 학습자의 수준에
맞는지 확인한다. 시험 단원을 검증한 이후에는 단원을 개정·통합하는 과정을 거쳐 단원을 개선하는데,
그 이후의 단계는 [　　⊙　　] 단계로서, 여러 개의 단원을 구조화하면서 전체 범위와 계열성을
검증한다.

---

069 〉 **전통적 교육과정 개발모형과 개선** ●●●

위긴스와 맥타이는 역행설계 모형을 통해 교육과정 개발과정을 3가지 단계로 설명한다. 첫째, 1단계의 명칭은 바람직한 교육결과의 확정으로, 이 단계에서는 시간이 지나 상세한 것들은 잊어버려도 머리에 남아 있는 큰 원리 혹은 중요한 이해라고 할 수 있는 [㉠]을(를) 도출하고 이를 목표에 반영한다. 둘째, 2단계의 명칭은 [㉡](으)로, 이 단계에서는 평가방법과 평가도구를 개발한다. 셋째, 3단계의 명칭은 학습경험과 수업 계획으로, [㉢] 요소를 고려하여 구체적인 수업을 설계한다.

---

070 〉 **전통적 교육과정 개발모형과 개선** ●●○

위긴스와 맥타이의 역행설계 모형은 바람직한 교육결과로서 시간이 지나 상세한 것들은 잊어버려도 머리에 남아 있는 큰 원리 혹은 중요한 이해인 영속적 이해를 제시한다. 이러한 영속적 이해의 특성은 첫째, 사실과 학문을 초월한 [㉠], 둘째, 학습자를 몰입시킬 수 있는 [㉡]을(를) 들 수 있다. 한편, 역행설계 모형에서는 이해의 깊이를 세분화하기 위해 이해를 6가지 측면으로 제시하는데, 제시문의 목표와 관련된 이해는 다음과 같다. 첫째, 목표 1은 윤동주의 서시라는 텍스트에 담긴 의미를 파악하는 것이므로 [㉢]에 해당한다. 둘째, 목표 2는 차별 상황을 경험한 친구의 감정과 세계관을 수용하는 것이므로 [㉣]에 해당한다.

---

071 〉 **전통적 교육과정 개발모형과 개선** ●○○

위긴스와 맥타이의 역행설계 모형에서는 2단계 평가계획 수립 시 GRASPS 요소를 고려할 것을 제안하는데, 구체적인 내용은 다음과 같다. 첫째, 수행과제의 방향성을 확보하기 위해 [㉠]을(를) 고려한다. 둘째, 수행과정에서 학생의 능동적 행동을 유발하기 위해 [㉡]을(를) 고려한다. 또한 이 모형에서는 수업계획 시 WHERETO 요소를 고려할 것을 제안하는데, 그 구체적 요소는 다음과 같다. 첫째, 학생들이 학습의 목적과 가치를 깨달을 수 있도록 [㉢] 등을 고려한다. 둘째, 학생을 독립적인 학습자로 성장시키기 위해 [㉣]을(를) 고려한다.

Answer

066 ㉠ 수업의 방향 ㉡ 부수적 / 확산적 ㉢ 정의적
067 ㉠ 교사 ㉡ 요구진단 ㉢ 변화 가능성
068 ㉠ 내용의 정확성 ㉡ 목표와의 부합성 ㉢ 학습자의 학습 가능성 ㉣ 단원의 구조화
069 ㉠ 영속적 이해 ㉡ 수용할 만한 증거 결정 ㉢ WHERETO
070 ㉠ 보편성 ㉡ 매력 ㉢ 해석 ㉣ 공감
071 ㉠ 학습목표(성취기준) ㉡ 학습자의 역할 ㉢ 어디로 가야 하는지 / 왜 학습해야 하는지 ㉣ 자기평가 방법

072 〈 대안적 개발모형

워커는 합리적 개발모형을 비판하면서 이에 대한 대안으로 자연주의적 개발모형을 제시한다. 이 중 (가)에 해당하는 단계의 명칭은 ☐ ⊙ ☐(으)로, 더 나은 교육과정을 위한 체계적이고 집단적인 사고와 논의 과정을 거친다는 특징을 지닌다. 이러한 자연주의적 개발모형은 교육과정 개발과정에 관여하는 여러 집단의 이해관계를 고려하면서 교육의 ☐ ⓛ ☐을(를) 확보하게 해준다는 점에서 장점을 갖지만, 논의의 과정이 길어지는 경우 교육과정 개발이 지체되어 ☐ ⓒ ☐이(가) 저하된다는 점에서 단점을 갖는다.

073 〈 대안적 개발모형　　　　　　　　　　　　　　　　　　　　　　●●●○

아이즈너가 예술적 교육과정 개발모형을 통해 제시한 학습목표는 다음과 같다. 첫째, ☐ ⊙ ☐ (이)다. 이는 일정한 조건 내에 다양한 해결책이 있는 목표를 의미한다. 둘째, ☐ ⓛ ☐(이)다. 이는 조건이 없으며 학습과정에서 발생하는 예상치 못한 결과 등을 포괄하는 목표를 의미한다. 한편, 아이즈너는 개인·사회·교과의 세 자원으로부터 교육과정 내용을 추출하되, 예술 교과와 같이 가르칠만한 가치가 있음에도 공식적 교육과정에서 고의로 배제되어 있는 ☐ ⓒ ☐을(를) 고려할 것을 강조한다.

074 〈 대안적 개발모형

아이즈너는 예술적 교육과정 개발모형을 통해 학습기회 유형을 개발하는 과정에서 교사의 교육적 상상력을 강조하는데, 교육적 상상력이란 교사의 ☐ ⊙ ☐ 능력이라 할 수 있다. 교사가 교육적 상상력을 발휘했을 때 장점은 다음과 같다. 첫째, 학습자 수준에 맞게 목표와 내용을 재구성함으로써 ☐ ⓛ ☐ 교육을 실천할 수 있다. 둘째, 교육과정 개발자로서 교사의 전문성과 자율성이 존중되므로 교사의 ☐ ⓒ ☐이(가) 높아질 수 있다.

075 　대안적 개발모형　　　　　　　　　　　　　　　　　　　　　　●○○

아이즈너의 예술적 교육과정 개발모형에서는 다양한 교과를 포괄하는 범교과학습을 강조하는데, 이를 위한 내용 조직 방식은 다음과 같다. 첫째, ［　㉠　］(이)다. 기존의 교과 내용을 초월하기 위해 교과 내, 교과 간, 교과·비교과 간 내용을 연결한다. 둘째, ［　㉡　］(이)다. 다양한 교육자원을 활용하기 위해 가정·학교·지역사회와 협력하여 내용을 조직한다. 또한, 이 모형은 학습내용을 다양하게 제시할 것을 강조하는데, 이때 구체적인 학습내용 제시 방식은 다음과 같다. 첫째, 의사소통 방식을 변화시킨다. 교사의 말에 의존하는 의사소통을 벗어나 ［　㉢　］ 등을 통해 학습내용을 제시한다. 둘째, 설명 방식을 변화시킨다. 교사의 설명이 필요한 경우에도 정보 전달에만 치중하는 것이 아니라 ［　㉣　］을(를) 통해 학습자의 상상력을 자극한다.

076 　대안적 개발모형　　　　　　　　　　　　　　　　　　　　　　●●○

교육은 예술과 같다는 아이즈너의 예술적 교육과정 개발모형에 따르면, 학습자의 학습성과 평가 시 교사에게 요구되는 능력은 다음과 같다. 첫째, ［　㉠　］(이)다. 이는 예술작품과 같이 학습자가 보여주는 학습성과의 미묘한 차이를 인식할 수 있는 감상술에 해당한다. 둘째, ［　㉡　］(이)다. 이는 전문가가 감식한 미묘한 차이를 학생·학부모가 이해할 수 있도록 공식적 언어로 표현하는 표출술에 해당한다. 이러한 능력을 바탕으로 학교 현장에서 실시하는 평가 방식을 ［　㉢　］(이)라고 한다. 이는 실제 상황에서의 문제해결력을 측정하는 평가라고 할 수 있다.

077 　대안적 개발모형　　　　　　　　　　　　　　　　　　　　　　●○○

교육과정 재구성을 하기에 앞서 기존 교육과정을 분석할 필요가 있다. 교육과정 분석의 틀로서 포스너가 제시한 4가지 범주는 다음과 같다. 첫째, ［　㉠　］(이)다. 교육과정의 사회·역사·철학적 배경 등을 분석한다. 둘째, 교육과정 고유 영역이다. 교육과정이 담고 있는 ［　㉡　］을(를) 분석한다. 셋째, ［　㉢　］(이)다. 교육과정 실행에 영향을 주는 물리적·시간적·제도적 요인을 분석한다. 넷째, ［　㉣　］(이)다. 교육과정의 의도한 효과와 의도하지 않은 효과, 개선 방안 등을 분석한다.

Answer

072 ㉠ 숙의 ㉡ 민주성 ㉢ 효율성
073 ㉠ 문제해결 목표 ㉡ 표출적 성과(표현적 결과) ㉢ 영 교육과정
074 ㉠ 교육과정 재구성 ㉡ 학습자 맞춤형 ㉢ 사기 / (직무)동기
075 ㉠ 통합 ㉡ 연계 ㉢ 동영상 / 그래픽 ㉣ 시적인 진술 / 은유
076 ㉠ 교육적 감식안 ㉡ 교육비평 ㉢ 참평가
077 ㉠ 교육과정 문서와 기원 ㉡ 목표, 내용 ㉢ 교육과정 운영 ㉣ 교육과정 판단(비평)

078 〈 대안적 개발모형

최근 강조되고 있는 교육과정 분권화란 지역과 학교의 특수성을 반영하는 교육과정 재구성을 의미한다. 이러한 교육과정 분권화가 필요한 이유는 다음과 같다. 첫째, 교과 측면에서 [㉠   ]에 신속·유연하게 대처하기 위해 필요하다. 둘째, 학습자 측면에서 학교별로 상이한 [㉡   ]을(를) 반영함으로써 학습자 맞춤형 교육을 실천하기 위해 필요하다. 셋째, 사회 측면에서 학부모·지역사회의 [㉢   ]에 부응하기 위해 필요하다.

079 〈 대안적 개발모형 ●●●

교육과정 재구성이 강조되면서 성취기준 재구조화가 강조되고 있다. 성취기준이란 학생들이 교과를 통해 배워야 할 내용과 학생들이 할 수 있기를 기대하는 능력을 결합하여 나타낸 [㉠   ]을(를) 의미한다. 이러한 성취기준을 재구조화할 때 유의점은 다음과 같다. 첫째, 국가 교육과정과의 통일성·일관성을 해치지 않도록 국가 교육과정상 성취기준의 [㉡   ] 목적에 한해야 한다. 둘째, 성취기준을 통합·압축하는 경우 성취기준의 내용 요소가 [㉢   ]되지 않도록 유의해야 한다. 셋째, 일부 내용 요소를 추가하는 경우에도 학생의 학습·평가 부담이 가중되지 않도록 학년(군)·학교급 및 교과(군) 간 [㉣   ]을(를) 충분히 고려해야 한다.

080 〈 대안적 개발모형 ●●○

스킬벡의 학교중심 교육과정 개발모형은 학교의 상황에 맞는 교육과정 개발·운영을 강조한다. 이 모형의 첫 번째 단계는 [㉠   ](이)다. 이 단계에서 분석의 내용과 방법은 다음과 같다. 첫째, 학교의 내적 요인을 분석한다. 이는 [㉡   ]와(과) 관련되는 것으로, [㉢   ] 등을 통해 분석할 수 있다. 둘째, 학교의 외적 요인을 분석한다. 이는 학부모나 지역사회의 기대와 관련한 것으로, 학부모상담 또는 [㉣   ]을(를) 통해 분석할 수 있다.

081 〉 대안적 개발모형 ●○○

스킬벡의 학교중심 교육과정 개발모형에 따라 학교 상황에 맞는 교육과정을 개발·운영할 수 있다. 이 모형에서 제시하는 (가) 단계는 [　　　㉠　　　](으)로서 이때 교육과정 개발자가 할 일은 재구성한 교육과정에 따른 [　　　㉡　　　]을(를) 모색하는 것이다. 이처럼 학교가 직면하는 상황요인에 따른 세부적 분석에 초점을 두는 이 모형은 학교별 상황을 정확하게 인식하여 [　　㉢　　]을(를) 개발·운영할 수 있다는 점에서 의의가 있다. 반면, 학교별로 상황이 다르므로 개발한 교육과정을 다른 학교나 상황으로 [　　㉣　　]하기 곤란하다는 한계를 지닌다.

082 〉 교육과정의 설계모형

교육과정 설계모형에서 강조하는 교육내용은 다음과 같다. 첫째, 내용모형은 교육과정 설계 시 가르칠 내용에 초점을 두는 모형으로서, 이때의 내용은 내재적으로 가치 있는 [　　㉠　　]에 해당한다. 둘째, 목표모형은 교육과정 설계 시 [　　　㉡　　　]을(를) 강조하는 모형으로서 이때의 내용은 목표 달성을 위한 구체적 학습내용이 해당된다. 셋째, 과정모형은 교육과정 설계 시 [　　㉢　　]을(를) 최우선적으로 고려하는 모형으로서, 이때의 내용은 사전에 준비되기보다는 교수학습과정 중에 발생하는 교육적 경험이 학습내용이라고 본다.

083 〉 교육과정의 일반적 설계원리

그론룬드는 모든 목표를 메이거식으로 표현하면 목표 간 위계적 관계를 파악하기 어려워 교사나 평가의 지침으로 활용하기 곤란하다고 언급하면서 교수목표를 다음의 두 가지로 분류했다. 첫째, [　　　㉠　　　](이)다. 이는 학습의 전반적 방향을 나타내는 목표로, '이해한다'와 같은 암시적 동사로 표현된다. 둘째, 구체적 교수목표이다. 이는 일반목표를 보다 구체적이고 측정 가능한 형태로 세분화하면서 배열하며, '열거한다'와 같은 [　　㉡　　] 동사로 표현된다. 이러한 구체적 교수목표에는 행동 요소가 반영되어야 하는데, 이외에 들어갈 요소는 다음과 같다. 첫째, [　　㉢　　] 요소이다. 이는 행동이 수행되는 상황이나 조건을 의미한다. 둘째, [　　㉣　　] 요소이다. 이는 행동의 성공 여부를 판단할 수 있는 기준을 의미한다.

Answer

078 ㉠ 지식 변화 ㉡ 학습자 특성(수준) ㉢ 요구 / 기대

079 ㉠ 활동의 기준 ㉡ 구체화·명료화 ㉢ (임의) 삭제 ㉣ 연계성

080 ㉠ 상황 분석 ㉡ 학습자의 적성과 능력 / 교사의 능력과 가치관 ㉢ 학생상담 / 교사상담 ㉣ 지역사회 연계활동 / 마을교육공동체 활동 / 학교 운영위원회 운영 등

081 ㉠ 해석 및 실행 ㉡ 예상 문제점 및 해결방안 ㉢ 학교 맞춤형 교육과정 ㉣ 일반화

082 ㉠ 문화유산 / 고전교과 ㉡ 구체적 목표설정 ㉢ 학습자의 역량 발달

083 ㉠ 일반 교수목표 ㉡ 명시적 ㉢ 조건 ㉣ 기준

084 **교육과정의 일반적 설계원리** ●●○

A 교사는 현실적인 이유로 인해 필요한 내용을 중심으로 학습내용을 선택하는데, 이처럼 교육내용과 학습경험의 폭과 깊이를 고려하는 요소를 [㉠](이)라고 한다. 이러한 요소에 영향을 미치는 요인은 다음과 같다. 첫째, 교과 측면에서 [㉡]에 따라 범위가 결정된다. 둘째, 학습자의 측면에서 [㉢]에 따라 범위가 결정된다. 셋째, 사회의 측면에서 [㉣] 등이 교육내용 선정 및 조직에 영향을 미친다.

085 **교육과정의 일반적 설계원리** ●●●

교육내용 조직 시 수직적 조직원리에 따라 내용조직을 체계화할 수 있다. 교육내용의 학년 간 배열을 의미하는 수직적 조직원리 중 계속성이란 시간의 경과에 따라 동일한 개념이나 기능을 [㉠]하여 조직하는 것을 의미한다. 계속성에 따라 내용을 조직하면 학생들이 중요한 내용을 지속적으로 접하며 해당 내용을 [㉡]하기 용이하다. 또한, 계열성이란 학생들이 교육내용 및 학습경험을 접하는 [㉢]을(를) 논리적으로 배열하는 것을 의미한다. 이러한 계열성을 확보하기 위해 내용의 폭과 깊이를 점점 더 넓고 깊게 심화시키는 [㉣]의 형태로 내용을 조직할 수 있다.

086 **교육과정의 일반적 설계원리** ●○○

교육내용 조직 시 총체적 조직원리에 따라 내용을 풍부하고 체계적으로 조직할 수 있다. 총체적 조직원리로서 연계란 학년 간, 교과 간 유사한 [㉠] 간의 연결을 의미한다. 이때 구체적인 연계의 방법과 효과는 다음과 같다. 첫째, [㉡](이)다. 이는 학년 간 교육내용의 연계로서 중요한 학습내용을 연속적으로 다루어 학습의 연속성을 확보할 수 있다. 둘째, 수평적 연계이다. 이는 교과 간 연계에 해당하는 것으로, 하나의 내용에 대해 다양한 교과별 지식을 활용하여 [㉢] 사고를 촉진하는 데 도움을 줄 수 있다.

087 교육과정의 일반적 설계원리

교육내용 조직 시 총체적 조직원리에 따라 내용을 다양하게 조직할 수 있다. 총체적 조직원리로서 균형이란 [　　　㉠　　　]을(를) 적절한 비중으로 조화시키는 것을 의미한다. 다양한 내용을 균형 있게 다룸으로써 학생들은 [　　㉡　　]을(를) 확대하고 편향되지 않은 균형적인 시각을 갖출 수 있다. 이러한 균형을 확보하기 위한 내용 조직 방식은 다음과 같다. 첫째, 지식·이해 등 인지적 영역과 관련한 내용과 함께 [　㉢　] 영역의 내용도 포함한다. 둘째, 대립되는 주장이 제시될 수 있는 주제를 다루되, 주제에 관한 [　　㉣　　]을(를) 모두 포함한다.

088 통합 교육과정

통합 교육과정을 강조한 드레이크는 교육과정 설계 시 다음의 3요소를 고려할 것을 제안하는데, [　　　㉠　　　](이)가 이에 해당한다. 한편, 그가 제시한 통합 교육과정의 운영원리는 다음과 같다. 첫째, [　　㉡　　]의 원리이다. 통합 교육과정은 학습자의 흥미와 관심뿐 아니라 지적 능력 개발을 목표로 하므로 각 교과의 중요한 내용을 반영해야 한다. 둘째, 일관성의 원리이다. 통합 단원의 내용과 활동은 단원의 [　㉢　] 달성에 적합해야 한다. 셋째, 적합성의 원리이다. 학습자가 충분히 학습할 수 있으려면 통합 단원은 [　㉣　]에 맞아야 한다.

089 통합 교육과정

드레이크가 제시한 통합 교육과정의 유형과 유형별 특징은 다음과 같다. 첫째, [　㉠　] 통합이다. 이는 공통 주제를 추출하고 각 교과별로 해당 주제를 수업하는 것으로, 개별 교과의 정체성이 유지된다는 특징을 지닌다. 둘째, [　㉡　] 통합이다. 이는 공통 주제를 선정하고 교과별로 관련되는 내용을 추출하여 재조직하는 것으로, 교과 간 경계가 붕괴된다는 특징을 지닌다. 셋째, 탈학문적 통합이다. 이는 교과 간 구분 없이 사회문제를 주제로 선정하고 이를 바탕으로 새롭게 교육과정을 재조직하는 것으로, 주제를 선정하고 탐구하는 활동을 결정하는 데 학생이 [　㉢　] 역할을 한다는 특징을 지닌다.

Answer

084 ㉠ 범위 ㉡ 학습내용의 가치 / 중요성 ㉢ 학습자의 수준 ㉣ 사회문화적 이념, 가치
085 ㉠ 반복 ㉡ 파지 / 기억 ㉢ 순서 ㉣ 나선형
086 ㉠ 내용 요소 ㉡ 수직적 연계 ㉢ 통합적
087 ㉠ 여러 측면의 내용 ㉡ 인지적 경험 ㉢ 정의적 ㉣ 상반된 관점(주장)
088 ㉠ 지식, 기능, 행동(태도) ㉡ 중요성 ㉢ 목표 ㉣ 학습자의 수준
089 ㉠ 다학문적 ㉡ 간학문적 ㉢ 주체적인

090 〈 통합 교육과정

교과별 중요한 내용을 연계하여 융통성 있게 교육과정을 통합 설계하는 통합 교육과정의 장점은 다음과 같다. 첫째, 주제를 중심으로 교과의 내용을 연결함에 따라 분과적 사고에서 벗어나 ⓐ [㉠   ] 사고를 하는 데 도움을 준다. 둘째, 교사나 학생의 재량권·주체적 활동이 강조됨에 따라 [㉡   ]에 맞는 교육을 실천할 수 있고 학습자의 자기주도성 또한 함양할 수 있다. 그러나 통합 교육과정의 단점은 다음과 같다. 첫째, 주제를 중심으로 교과 내용을 통합하다 보니 교과별 고유의 [㉢   ](이)가 흐트러져 교육과정의 체계성이 저하될 수 있다. 둘째, 교사나 학생의 역량에 따라 교육과정의 [㉣   ](이)가 발생할 수 있다.

091 〈 통합 교육과정

성공적인 통합 교육과정 운영을 위한 조건과 지원방안은 다음과 같다. 첫째, 통합과 관련한 교사의 전문성이 높아야 한다. 이를 위해 통합 교육과정 관련 [㉠   ]을(를) 확대할 수 있다. 둘째, 통합 교과에 대한 학생의 관심도가 높아야 한다. 이를 위해 학생들에게 통합 교과 운영과 관련한 [㉡   ]을(를) 제공할 수 있다. 셋째, 통합 교과 운영에 관한 교육기자재가 충분해야 한다. 이를 위해 통합 교과 운영에 필요한 시설인 [㉢   ]을(를) 마련하거나 필요 물품 등을 지원할 수 있다. 넷째, 통합 교과 운영을 위한 제도적 기반이 충분해야 한다. 이를 위해 교육과정 총론 등에 통합 교육과정 운영에 관한 근거 규정을 마련할 필요가 있다.

Answer

090 ㉠ 통합적 ㉡ 학습자 수준 / 흥미 ㉢ 논리적 구조 / 논리성 ㉣ (질적) 격차

091 ㉠ 연수 / 장학 ㉡ 수업 사례 ㉢ 특별실

Chapter 05 교육과정의 운영 및 평가

중요도 ○○○

092 교육과정 운영

공교육의 질 보장을 위해 학교 교육과정 운영 시 준수해야 할 원리는 다음과 같다. 첫째, 사회제도적 특성 측면에서 [㉠   ]을(를) 준수해야 한다. 교육을 통한 국가의 안정과 발전을 위해 국가가 정한 법령 및 기준의 테두리에서 운영해야 한다. 둘째, 교육과정의 특성 측면에서 [㉡   ]을(를) 준수해야 한다. 학습자를 개별 인재로 성장시키기 위해 학습자의 발달·능력·적성·진로 등을 고려해야 한다. 셋째, 교원의 역할 측면에서 [㉢   ]을(를) 준수해야 한다. 학교 교육과정을 실질적으로 운영하는 주체는 교사이므로 교사의 자주적 역할을 보장하여야 한다.

093 교육과정 운영

●●○

스나이더 등의 분류에 따르면 교육과정 운영의 관점은 크게 3가지로 구분된다. A 교사는 국가 교육과정을 최대한 그대로 이행하는 것을 강조하는데, 이러한 관점을 [㉠   ](이)라 한다. 이러한 관점에 따라 교육과정을 운영하는 경우 전국적으로 동일한 교육과정을 운영하여 교육의 [㉡   ]을(를) 추구할 수 있다는 장점이 있다. 반면, B 교사는 교사가 자율적으로 운영하는 것을 강조하는데, 이러한 관점을 [㉢   ](이)라 한다. 이러한 관점에 따라 교육과정을 운영하는 경우 학교 상황에 맞는 탄력적 운영이 가능하여 교육의 [㉣   ]을(를) 추구할 수 있다는 장점이 있다.

Answer

092 ㉠ 합법성의 원리 ㉡ 학습자 존중의 원리 ㉢ 자율성의 원리
093 ㉠ 충실도의 관점 ㉡ 형평성 ㉢ 상호적응의 관점 ㉣ 자율성

---

094 ⟨ 교육과정 운영　　　　　　　　　　　　　　　●●○

스나이더 등의 분류에 따르면 교육과정 운영의 관점은 크게 3가지로 구분된다. 이 중 A 교사는 학생들과 교사가 함께 학습내용을 선정하고 탐구할 것을 강조하는데, 이러한 관점을 [　　　㉠　　　](이)라 한다. 이러한 관점에 따라 교육과정을 운영할 때 장점은 학생의 교육 참여를 확대하여 학생의 [　　㉡　　]을(를) 제고할 수 있다는 점을 들 수 있다. 반면, 단점은 지나치게 흥미만 강조하는 경우 기초적인 내용 학습에 한계를 지녀 [　　㉢　　](이)가 나타날 수 있다는 점을 들 수 있다.

---

095 ⟨ 교육과정 운영　　　　　　　　　　　　　　　●○○

홀의 CBAM 모형을 통해 새로운 교육과정의 실행 정도를 설명할 수 있다. 이 모형에 따르면 새로운 교육과정의 실행 정도를 결정하는 요인은 교육과정에 관한 [　　　㉠　　　](이)다. 즉, 교사가 얼마나 새로운 교육과정에 흥미와 적극성을 가지느냐에 따라 새로운 교육과정의 실행 정도가 달라진다. 이 모형에서는 교육과정 사소화 현상을 제시하고 있는데, 이는 [　　　　　㉡　　　　　] 때문에 교사가 교육과정을 중요하게 생각하지 않는 것이라 할 수 있다. 이 모형의 시사점은 다음과 같다. 첫째, 새로운 교육과정이 현장에 바로 적용되지 않는 현상, 즉, [　　㉢　　] 현상이 나타나는 이유를 설명해준다. 둘째, 새로운 교육과정의 현장 적용 정도를 높이기 위한 [　　㉣　　]을(를) 마련하는 데 도움이 된다.

---

096 ⟨ 교육과정 운영　　　　　　　　　　　　　　　●○○

홀의 CBAM 모형을 통해 새로운 교육과정에 대한 교사의 관심 수준과 실행 수준을 분석할 수 있다. CBAM은 교사의 관심 수준을 0단계부터 6단계까지로 상세화하는데, 이 중 3단계의 특징은 다음과 같다. 첫째, 관심 수준은 [　　㉠　　] 수준으로서 새로운 교육과정을 효율적으로 운영하는 방안, 시간계획, 교재 준비에 관심을 가진다. 둘째, 실행 수준은 기계적 운영 수준으로 새로운 교육과정을 [　　㉡　　](으)로 운영한다. 다음으로 4단계의 특징은 다음과 같다. 첫째, 관심 수준은 결과 수준으로 새로운 교육과정이 [　　㉢　　]에 대해 관심을 가진다. 둘째, 실행 수준은 새로운 교육과정을 처방된 대로 실행하는 일상화와, 새로운 교육과정을 학생들에게 적합한 형태로 변형하여 실행하는 [　　㉣　　](으)로 구분된다.

097 목표중심 평가모형

타일러의 목표중심 평가모형은 교육 프로그램이 명세적으로 작성한 목표의 달성 정도를 기준으로 한다. 따라서 이 모형은 목표 달성 정도를 평가하면 되므로 평가자의 [㉠   ] 개입을 최소화할 수 있다는 장점이 있다. 그러나 명세적으로 작성하기 어려운 [㉡   ]에 대한 평가가 곤란하다는 단점이 있다. 한편, 이 모형에 따를 때 목표의 명세화를 위한 구체적인 방법은 내용과 행동요소를 명확하게 구분하는 [㉢   ]의 작성을 들 수 있다.

098 목표중심 평가모형

프로그램 평가를 통해 교육과정의 문제점과 개선사항을 발굴할 수 있다. 프로버스의 불일치모형에 근거할 때 불일치의 판단 기준은 [㉠   ] 간의 격차이다. 해당 기준에 따를 때 ○○학교 예체능 교육과정의 표준은 [㉡   ](이)며, 수행성과는 ○○학교의 만족도 점수인 70점이다. 따라서 불일치 정도는 이 둘의 격차인 [㉢   ](이)라 할 수 있다. 이러한 불일치를 해결하기 위해 A 교사가 할 수 있는 구체적인 방안으로는 관련 교과교사 간 전문적 학습공동체 운영 등 교사 간 [㉣   ]을(를) 통해 불일치의 발생 원인 및 통합 예체능 교육과정의 개선사항을 발굴하는 것을 들 수 있다.

099 의사결정 평가모형　　　　　　●○○

스터플빔의 CIPP 모형에 따르면 교육 프로그램 평가를 하는 목적은 교육 프로그램의 지속 여부 결정 등의 의사결정을 위한 [㉠   ]을(를) 확보하기 위함이다. 이때 평가자의 역할은 교육행정가, 교사 등 의사결정자가 원활하게 의사결정을 하도록 돕는 [㉡   ](이)라고 할 수 있다. 이 모형에 근거할 때 A 교사는 목표와 우선순위를 결정하고자 하는데, 이와 관련한 의사결정은 [㉢   ] 의사결정이다. 이때 필요한 평가는 지역과 학생들의 특성 등 전반적 맥락과 환경을 분석하는 [㉣   ](이)다.

Answer

094 ㉠ 형성·생성의 관점 ㉡ 학습 동기 ㉢ 기초학력 저하

095 ㉠ 교사의 관심 수준 ㉡ 교사들이 교육과정 개발에서 적극적 역할을 수행하지 못했기 ㉢ 정책지연 ㉣ 행정적 지원(장학, 연수)

096 ㉠ 운영 ㉡ 단기적 / 피상적 ㉢ 학생에게 미치는 영향 ㉣ 정교화

097 ㉠ 주관 ㉡ 정의적 영역(특성) ㉢ 이원목적 분류표

098 ㉠ 표준과 수행 ㉡ 학생만족도조사 평균인 80점 ㉢ 10점 ㉣ 협동적 문제해결과정

099 ㉠ 기초자료 ㉡ 정보제공자 ㉢ 계획 ㉣ 상황평가

100 〈 의사결정 평가모형

교육 프로그램의 질 개선을 위해 프로그램 평가모형을 활용할 수 있다. 스터플빔의 CIPP 모형에서 말하는
투입평가란 교육 프로그램 운영에 필요한 ⟨ ㉠ ⟩와(과) 이것을 투입했을 때 발생하는 효과와
문제점을 평가하는 것이며, 과정평가란 프로그램 실시 도중 발생하는 정보를 수집·제공하는 평가를
의미한다. 투입평가를 바탕으로 프로그램 설계자는 목표달성을 위한 구체적 전략과 절차를 마련하는
⟨ ㉡ ⟩ 의사결정을 실시할 수 있으며, 과정평가를 바탕으로 프로그램 실시 도중 프로그램의 운영
방법과 절차를 수정·보완하는 ⟨ ㉢ ⟩ 의사결정을 실시할 수 있다.

101 〈 판단중심 평가모형

교육 프로그램 평가를 통해 공교육의 질 개선을 위한 기초자료를 확보할 수 있다. 스크리븐이 제시한
탈목표평가란 프로그램의 ⟨ ㉠ ⟩을(를) 목적으로 프로그램의 목표달성도 외에도 다양한
부분을 평가하는 것을 의미한다. 탈목표평가의 특징은 다음과 같다. 첫째, 프로그램 자체에 대한 평가를
내재적 준거와 ⟨ ㉡ ⟩ 준거를 통해 평가한다. 둘째, 총괄평가뿐만 아니라 프로그램 운영 도중
실시하는 ⟨ ㉢ ⟩ 또한 강조한다. 셋째, 목표 자체의 질과 가치를 평가하는 것을 강조하므로
비교평가뿐 아니라 ⟨ ㉣ ⟩ 또한 강조한다.

102 〈 판단중심 평가모형

교육 프로그램의 운영에 따라 발생하는 다양한 측면을 평가하는 스크리븐의 탈목표평가의 교육적
의의는 다음과 같다. 첫째, 모든 목표를 ⟨ ㉠ ⟩하기 곤란한 교육목표의 특수성을 반영하였다.
둘째, ⟨ ㉡ ⟩ 중심의 평가에서 벗어나 교육 프로그램을 상시 개선하는 데 도움을 준다. 반면, 탈목표
평가의 한계는 다음과 같다. 첫째, 의도하지 않은 목표 자체를 발견하기 곤란하고 잠재적 부수 효과를
⟨ ㉢ ⟩하게 측정하기 곤란하다. 둘째, 정의적 영역까지 포함하다 보니 평가과정에서 평가자의
⟨ ㉣ ⟩이(가) 개입되어 결과 해석의 일관성이 떨어질 수 있다.

103 **판단중심 평가모형**

교육을 예술로 바라보는 관점을 통해 교육과정을 이전보다 다채롭게 평가할 수 있다. 아이즈너의 예술적 비평모형에 따를 때 교육비평이란 전문가가 감식한 미묘한 차이를 비전문가가 이해할 수 있도록 [　　　㉠　　　]하는 능력을 의미한다. 교육비평의 유형은 다음과 같다. 첫째, 기술적 교육비평이다. 이는 프로그램의 운영 결과를 [　　㉡　　] 기술하는 것이다. 둘째, [　　㉢　　] 교육비평이다. 이는 기술한 평가 결과의 교육적 의미와 가치에 대해 평가자가 해석하는 것을 의미한다. 셋째, 평가적 교육비평이다. 이는 기술과 해석에 기초하여 교육 프로그램이 갖는 교육적 의미와 가치를 종합적으로 [　㉣　]하는 것을 의미한다.

104 **판단중심 평가모형**

교육 프로그램의 전체적 실상을 평가하는 스테이크의 종합실상모형에서 평가의 대상은 다음과 같다. 첫째, [　　㉠　　](이)다. 이는 교육 프로그램 실시 전에 존재하는 학습자의 특성, 교육과정, 교육시설 등을 의미한다. 둘째, 실행요인이다. 이는 프로그램 실행과정 중에 나타나는 교사·학생 간, 학생 간의 [　㉡　]을(를) 의미한다. 셋째, [　　㉢　　](이)다. 이는 프로그램 실시 후 학습자와 학부모에게 미치는 영향을 의미한다. 한편, 이 모형에 따르면 원래 존재하던 [　㉣　]와(과) 관찰 결과를 기술하고, 기술된 내용을 표준에 근거하여 판단한다.

105 **자연주의 평가모형**

교육 프로그램 평가 시에도 자연주의적 모형을 통해 다양한 효과를 평가할 수 있다. 자연주의 모형 중 하나인 반응적 평가모형에서의 평가내용은 평가와 직·간접적으로 관계되는 이해관계인의 [　㉠　](이)다. 주된 평가방법으로는 평가 진행 도중 이해관계인을 [　㉡　]하는 방법을 제시할 수 있다. 이 모형에 근거한 평가는 학생과 같이 교육 프로그램과 관련한 이해관계인의 의견을 즉각적으로 확인할 수 있다는 점에서 의의를 지니지만, 반응을 해석하는 과정에서 평가자의 주관이 개입되어 평가 결과의 [　㉢　]이(가) 떨어진다는 한계를 지닌다.

Answer

100　㉠ (교육)자원 ㉡ 구조화 ㉢ 실행

101　㉠ 실제적 가치 판단 ㉡ 외재적 ㉢ 형성평가 ㉣ 비(非)비교평가

102　㉠ 수치화 ㉡ 결과(목표) ㉢ 정확 ㉣ 주관

103　㉠ (언어로) 표현 ㉡ 있는 그대로 ㉢ 해석적 ㉣ 판단

104　㉠ 선행조건 ㉡ 상호작용 ㉢ 성과요인 ㉣ 의도

105　㉠ 반응 ㉡ 관찰 / 면담 ㉢ 일관성 / 신뢰도

Chapter 06 교육과정의 정책(우리나라 교육과정)

중요도 ○○○

106 〈 2022 개정 교육과정 ●●●

2022 개정 교육과정의 비전은 [㉠] (이)다. 이러한 비전이 현대사회에서 중요한 이유는 다음과 같다. 첫째, 의견대립·갈등이 빈번하게 발생하는 현대사회에서 공동체의식을 바탕으로 상호 존중하기 위해 [㉡] 이(가) 필요하다. 둘째, 사회문제가 더욱 복잡해지는 현대사회에서 융합적 사고와 [㉢] 을(를) 바탕으로 창의적인 해결책을 마련하기 위해 창의성이 필요하다. 셋째, 급변하는 미래사회에서 책임감과 적극적 태도를 바탕으로 개인의 역할을 다하기 위해 [㉣] 이(가) 필요하다.

107 〈 2022 개정 교육과정 ●○○

2022 개정 교육과정에서 추구하는 인간상은 다음과 같다. 첫째, [㉠] (이)다. 전인적 성장을 바탕으로 자아정체성을 확립하고 자신의 진로와 삶을 스스로 개척하는 사람을 의미한다. 둘째, [㉡] (이)다. 폭넓은 기초능력을 바탕으로 진취적 발상과 도전을 통하여 새로운 가치를 창출하는 사람을 의미한다. 셋째, [㉢] (이)다. 문화적 소양과 다원적 가치에 대한 이해를 바탕으로 인류문화를 향유하고 발전시키는 사람을 의미한다. 넷째, [㉣] (이)다. 공동체의식을 바탕으로 다양성을 이해하고 서로 존중하며 세계와 소통하는 민주시민으로 배려와 나눔, 협력을 실천하는 사람을 의미한다.

108 〈 2022 개정 교육과정 ●●○

2022 개정 교육과정에서 제시하는 기초소양은 다음과 같다. 첫째, [㉠] (이)다. 이는 텍스트를 읽고 쓰고 표현하며 타인과 소통하는 것이 모든 학습에 기본이 되므로 필요하다. 둘째, 수리 소양이다. 이는 다양한 상황에서 [㉡] 을(를) 활용하여 문제를 해결하기 위해 필요하다. 셋째, [㉢] (이)다. 이는 디지털 정보가 폭증하는 시대에 적합한 정보를 수집하고 올바른 정보를 가려내며, 사회에 필요한 정보를 재생산하기 위해 필요하다.

109 **2022 개정 교육과정** ●●●

A 교사가 계획하는 활동을 통해 길러지는 역량을 2022 개정 교육과정에 비추어 설명하면 다음과 같다. 첫째, 나만의 진로 학업 설계서 작성을 통해 학생 스스로 자신의 삶과 진로를 설계할 수 있으므로 [㉠]이(가) 함양된다. 둘째, 문제에 대한 해결방안을 모색하는 개별 프로젝트 학습을 통해 학생들은 지식을 바탕으로 새로운 해결책을 창출할 수 있으므로 [㉡]이(가) 함양된다. 셋째, 탄소배출 줄이기 캠페인을 통해 지속 가능한 인류 공동체 발전에 책임감 있게 행동할 수 있으므로 [㉢]이(가) 함양된다. 넷째, 토의·토론 수업을 통해 다른 사람의 관점을 존중하고 경청하므로 [㉣]이(가) 함양된다.

110 **2022 개정 교육과정** ●●●

2022 개정 교육과정에서 제시된 교과교육의 지향점은 다음과 같다. 첫째, [㉠](이)다. 많은 학습이 아닌 깊이 있는 학습을 통해 학습량을 적정화하고 학생들이 깊이 있는 사고를 하도록 유도한다. 둘째, [㉡](이)다. 복잡한 사회문제에 대응할 수 있도록 교과의 내용을 연결한다. 셋째, [㉢](이)다. 지식의 전이를 강조하고 배움과 삶의 일치를 도모한다. 넷째, [㉣](이)다. 자신의 학습을 되돌아보고 수정함으로써 행위주체성을 함양한다.

111 **2022 개정 교육과정** ●○○

2022 개정 교육과정을 통해 처음으로 도입된 학교 자율시간이란 [㉠]을(를) 의미한다. 학교 자율시간 운영의 장점은 다음과 같다. 첫째, 지역과 학교의 여건을 고려하여 새로운 과목을 개설함에 따라 [㉡]을(를) 실천할 수 있다. 둘째, 체험활동 등 다양한 활동을 통해 학생들의 [㉢]을(를) 다양화할 수 있다.

Answer

106	㉠ 포용성과 창의성을 갖춘 주도적인 인재 ㉡ 포용성 ㉢ 도전적 태도 ㉣ 자기주도성
107	㉠ 자기주도적인 사람 ㉡ 창의적인 사람 ㉢ 교양 있는 사람 ㉣ 더불어 사는 사람
108	㉠ 언어 소양 ㉡ 수리적 정보 ㉢ 디지털 소양
109	㉠ 자기관리 역량 ㉡ 창의적 사고 역량 ㉢ 공동체 역량 ㉣ 협력적 소통 역량
110	㉠ 깊이 있는 학습 ㉡ 교과 간 연계와 통합 ㉢ 삶과 연계한 학습 ㉣ 학습과정에 대한 성찰
111	㉠ 학생 수요를 반영하여 한 학기 중 학교별 특색 있는 교육을 실시하는 1주의 시간 ㉡ 학교 맞춤형 교육 ㉢ 교육적 경험

112〈 2022 개정 교육과정

연간 34주의 시간 중 학교별 특수성을 기반으로 새로운 과목과 활동을 개설하는 학기별 1주의 시간인 학교 자율시간의 시간편성 운영방식은 다음과 같다. 첫째, [　　ㄱ　　](이)다. 기말고사 후 1주일과 같이 특정 주간, 월 기간에 집중적으로 시간을 운영한다. 둘째, [　　ㄴ　　](이)다. 특정 요일 몇 교시와 같이 한 학기 내에서 정기적으로 운영한다. 셋째, [　　ㄷ　　](이)다. 시기별로 집중형과 지속형을 혼합해서 운영한다.

113〈 2022 개정 교육과정　　　　　　　　　　　　　　　　●○○

2025년 전면 적용된 고교학점제란 [　　　　　　ㄱ　　　　　　]을(를) 의미한다. 고교학점제가 갖는 교육적 의의는 다음과 같다. 첫째, 교과를 다양화하여 [　　ㄴ　　]을(를) 넓힌다. 둘째, 학습자에게 학습 선택권을 부여하여 자율성을 바탕으로 [　　ㄷ　　]을(를) 제고한다. 셋째, 사회의 요구를 반영한 과목을 개설하여 사회에서 필요로 하는 인재를 육성한다.

114〈 2022 개정 교육과정　　　　　　　　　　　　　　　　●○○

학생에게 과목 선택권을 부여하는 고교학점제의 운영상 중점사항 3가지는 다음과 같다. 첫째, 학생의 수요를 반영한다. [　　ㄱ　　]을(를) 실시하고 개인별 시간표를 스스로 작성할 수 있도록 운영한다. 둘째, [　　ㄴ　　]을(를) 실시한다. 학생이 원하는 진로를 분명히 하고 해당 진로를 위해 필요한 이수과목을 안내하며 학업계획서 작성에 조력한다. 셋째, [　　ㄷ　　]을(를) 보장한다. 선택 과목에 대해서 성취평가를 실시하고 미이수 학생에게는 보충학습의 기회를 제공한다.

115 〈 2022 개정 교육과정

학교별로 교과를 편성하고 학생들에게 선택권을 부여하는 고교학점제 운영 시 발생할 수 있는 문제점은
다음과 같다. 첫째, 여전히 상대평가를 실시함에 따라 학생들은 자신이 원하는 과목을 선택하기보다는
[㉠] 과목을 선택한다. 둘째, [㉡]의 차이로 인해 과목 개설이
제약되어 학생의 선택권이 제한된다. 셋째, 수업 준비, 진로·학업 설계 지도, 최소 학업성취 보장 등
교사의 [㉢]이(가) 가중된다.

116 〈 2022 개정 교육과정

2022 개정 교육과정에 반영된 범교과 학습주제란 국가·사회적으로 요구되는 학습내용으로서 여러
교과의 경계를 가로지르는 종합적이고 통합적인 학습주제를 의미한다. 이러한 범교과 학습주제의
예시로는 [㉠]이(가) 있다. 범교과 학습의 필요성은 다음과 같다. 첫째, 실제 삶과 관련한
학습주제를 다룸으로써 [㉡]을(를) 함양할 수 있다. 둘째, 교과 간 경계를 넘나들며 지식의
[㉢]을(를) 촉진하고 깊이 있는 학습에 조력한다.

Answer

112 ㉠ 집중형 ㉡ 지속형 ㉢ 혼합형
113 ㉠ 학생이 스스로 과목을 선택하고 학점을 누적 취득하여 졸업하는 제도 ㉡ 학습내용의 폭 ㉢ 학습동기
114 ㉠ 사전 수요조사 ㉡ 진로·학업 설계지도 ㉢ 최소 학업성취
115 ㉠ 입시에 유리한 ㉡ 학교별 여건(시설, 교사) ㉢ 업무 부담
116 ㉠ 안전·건강 / 진로 / 민주시민 / 다문화 / 통일 / 독도 / 경제·금융 등 ㉡ 삶에서 필요한 역량 ㉢ 연결 / 전이

117 | 2022 개정 교육과정　　　　●●○

2022 개정 교육과정에서는 교육과정—수업—평가—기록의 일체화를 강조한다. 이때 교·수·평·기 일체화의 구성요소는 다음과 같다. 첫째, 교사가 성취기준을 중심으로 기존 교육과정을 수정하는 [　　　　⑦　　　　], 둘째, 학생이 주도적으로 참여하는 [　　　　ⓒ　　　　], 셋째, 성취기준에 도달하기 위한 과정을 평가하는 [　　　　ⓒ　　　　], 넷째, 역량 함양을 위한 구체적인 증거를 제시하는 성장 중심의 기록을 들 수 있다.

118 | 2022 개정 교육과정　　　　●●○

2022 개정 교육과정에서 말하는 성취기준이란 학생들이 교과를 통해 배워야 할 내용과 이를 통해 수업 후 할 수 있거나 할 수 있기를 기대하는 능력을 결합한 수업활동의 기준을 의미한다. 이러한 성취기준의 기능은 다음과 같다. 첫째, [　　　　⑦　　　　]의 기준이 된다. 둘째, [　　　ⓒ　　　]의 기준이 된다. 셋째, [　　　ⓒ　　　](으)로 활용된다.

Answer

117　⑦ 교육과정 재구성　ⓒ 학생중심 수업　ⓒ 과정중심 평가
118　⑦ 수업 설계 및 전개　ⓒ 교육과정 재구성　ⓒ 구체적 평가준거

MEMO

최원휘 SELF 교육학
핵심개념 456
모범답안 & 빈칸암기노트

교육방법

Chapter 01 교수학습 및 교육공학의 이해

중요도 ○○○

119 교수학습의 기초 ●●○

라이겔루스가 제시한 교수학습의 3대 변인은 다음과 같다. 첫째, 조건 변인이다. 이는 교수설계자·교사가 [　　　　　㉠　　　　　](으)로, 교과내용의 특성·교과의 목표·학습자의 특성 등이 여기에 포함된다. 둘째, [　　㉡　　](이)다. 이는 학습 성과를 성취하기 위해 사용되는 다양한 교수 전략으로, 조직 전략·전달 전략·관리 전략으로 세분화된다. 셋째, [　　㉢　　](이)다. 이는 교수활동의 결과로 얻어지는 성과로, 효과성·효율성·매력성 등으로 세분화된다.

120 교수학습의 기초 ●○○

라이겔루스가 제시한 교수학습의 3대 변인에 근거할 때 A 교사가 수업 설계 시 고려한 조건 변인은 다음과 같다. 첫째, [　　㉠　　](이)다. 교사는 교과 교육과정상 제시되어 있는 학습목표를 확인한다. 둘째, 학습자 특성이다. 교사는 학습자들의 [　　　　㉡　　　　] 등을 고려하여 수업을 계획한다. 셋째, 환경적 제약조건이다. [　　　　㉢　　　　] 등을 고려하여 수업을 설계한다.

121 교수학습의 기초 ●○○

라이겔루스가 제시한 방법 변인의 세부 전략은 다음과 같다. 첫째, [　　　㉠　　　](이)다. 이는 학습내용을 어떻게 구조화하고 조직할 것인지에 대한 전략으로, 미시적 전략과 거시적 전략으로 구분된다. 둘째, [　　㉡　　](이)다. 이는 학습내용을 어떻게 전달할 것인지에 대한 전략으로서 강의식, 토의·토론식 등 다양한 교수학습 방법을 포함한다. 셋째, 관리 전략이다. 이는 [　　　　　㉢　　　　　]에 대한 전략을 의미한다.

122 〈 교수학습의 기초

라이겔루스가 제시한 방법 변인이란 학습 성과를 성취하기 위해 사용되는 다양한 [㉠](으)로서
조직 전략, 전달 전략, 관리 전략으로 세분화된다. 지문의 A 교사의 경우 수질 오염이라는 하나의 주제를
제시하는데, 이처럼 단일한 주제를 다루는 조직 전략을 [㉡](이)라 한다. 다음으로
B 교사의 경우 환경 오염의 종류를 여러 개의 주제로 나누어 다양한 입장을 제시하고자 하는데, 이처럼
복잡한 주제를 다루는 조직 전략을 [㉢](이)라 한다.

123 〈 교수학습의 기초

라이겔루스가 제시한 교수학습의 3대 변인 중 결과 변인이란 교수활동의 결과로 얻어지는 성과로, 효과성ㆍ
효율성ㆍ매력성 등으로 세분화된다. 첫째, 효과성이란 [㉠](을)를 의미하고,
둘째, 효율성은 [㉡](을)를 의미한다. 셋째, [㉢]은 (는) 학습활동과
학습자료에 흥미를 느끼고 학습동기가 유발된 정도를 의미한다.

124 〈 교수학습의 기초

교수학습의 일반적 절차 중 수업의 준비 단계에서 교사의 할 일은 다음과 같다. 첫째, [㉠]
(이)다. 공식적 교육과정을 참고하여 해당 차시 수업의 구체적 수업목표를 설정한다. 둘째, 출발점행동을
진단한다. 학습자 맞춤형 수업을 위해 [㉡] 등을 확인한다. 셋째, 학습내용을
선정하고 조직한다. 목표와 학습자 수준에 맞게 [㉢]하거나 교과내용의
순서를 재조직한다.

Answer

119	㉠ 통제 불가한 제약 조건 ㉡ 방법 변인 ㉢ 성과 변인
120	㉠ 교과목표 ㉡ 선수학습 수준 / 흥미 / 특성 ㉢ 시설 등 교실 환경
121	㉠ 조직 전략 ㉡ 전달 전략 ㉢ 교수ㆍ학습과정을 어떻게 관리하고 조정할 것인지
122	㉠ 교수 전략 ㉡ 미시적 조직 전략 ㉢ 거시적 조직 전략
123	㉠ 교육목표의 달성 정도 ㉡ 목표 달성을 위한 노력ㆍ비용ㆍ시간 투자 정도 ㉢ 매력성
124	㉠ 목표 설정 ㉡ 학습자의 선수학습 수준 / 학습동기 / 학습자 특성 ㉢ 교과서의 내용을 수정ㆍ보완

구체적 수업목표란 수업을 통하여 [　　　　　㉠　　　　　]을(를) 진술한 목표를 의미한다. 구체적 수업목표의 기능은 다음과 같다. 첫째, 일관성 확보 기능이다. 구체적 수업목표는 국가 교육과정의 [　　㉡　　]을(를) 구체화하고 추후 평가의 방향을 분명히 하여 교·수·평·기 일체화를 달성하게 해준다. 둘째, [　　㉢　　] 기능이다. 교사는 수업내용과 활동이 목표 달성에 부합하는지 상시 확인하는 등 수업 중 교수학습 활동 개선의 기준으로 구체적 수업목표를 활용할 수 있다. 셋째, 동기유발 기능이다. 구체적 수업목표는 학습할 내용과 학습 후에 달성할 행동을 분명히 제시해 학생에게 수업에 대한 [　　㉣　　]을(를) 형성하게 함으로써 동기유발을 촉진한다.

교육목표를 진술할 때 교사의 유의점은 다음과 같다. 첫째, 제시문과 같이 민주주의의 특징이라는 내용만 작성하는 경우, 이를 어떤 행동을 통해 학습하게 하는지 모호할 수 있으므로 학습할 내용과 수행할 행동을 [　　㉠　　] 진술한다. 둘째, 제시문과 같이 민주주의를 다른 이념과 비교하여 설명한다는 것은 교사의 활동을 중심으로 해 학습자가 알아야 할 내용과 행동을 알 수 없으므로 [　　㉡　　]이(가) 해야 할 활동목표로 진술한다. 셋째, 제시문의 "민주주의의 사례를 나누고 설명한다"처럼 둘 이상의 행동을 포함하면 [　　　㉢　　　]이(가) 불분명하므로 하나의 수업목표 속에 둘 이상의 학습결과를 포함하지 않는다.

목표설정에 대한 SMART 기법에서는 목표를 구체적으로 진술할 것을 강조하는데, 이것 외에 다른 목표 설정 원칙은 다음과 같다. 첫째, [　　㉠　　]의 원칙이다. 평가를 원활하게 하기 위해 목표에는 구체적인 평가 기준이 되는 지표를 함께 제시해야 한다. 둘째, 달성 가능성의 원칙이다. 학습자가 실제 학습목표를 달성하기 위해 [　　㉡　　]을(를) 고려해야 한다. 셋째, 관련성의 원칙이다. 교·수·평·기 일체화를 위해 교육과정의 [　　㉢　　]와(과) 일관성을 가져야 한다. 넷째, [　　㉣　　]의 원칙이다. 활동의 종료 시점과 평가 시점을 위해 달성의 기한을 명확히 제시해야 한다.

128 〈 교수학습의 기초　　　　　　●○○

학습자 맞춤형 교육을 위해 A 교사가 실시할 수 있는 구체적 진단방법은 다음과 같다. 첫째,
[　　　　㉠　　　　]을(를) 통해 학생의 가정환경 등 기본 발달 상황을 확인한다. 둘째,
[　　　　㉡　　　　]을(를) 통해 학습자의 선수학습 수준과 같은 인지적 영역을 진단한다. 셋째,
[　　　　㉢　　　　]을(를) 통해 학습자의 흥미와 같은 정의적 영역을 진단한다.

03

129 〈 교수학습의 기초　　　　　　●○○

학습내용을 조직하는 과정에서 주제별 계열화와 나선형 계열화를 적용할 수 있다. 주제별 계열화는
하나의 주제를 완전히 학습한 이후 다음 주제로 넘어가는 계열화 방법이다. 따라서 하나의 주제에 대해
[　　㉠　　]이(가) 가능하다는 장점이 있지만, 다음 주제로 넘어간 이후 이전에 배웠던 주제에
대한 [　　㉡　　]이(가) 발생할 수 있다는 단점이 있다. 반면, 나선형 계열화는 여러 학습주제를
아우르는 핵심 개념을 바탕으로 학습내용을 단순한 것에서 점진적으로 심화시키는 계열화 방법이다.
이는 핵심 아이디어를 바탕으로 여러 주제를 체계적으로 [　　㉢　　]한다는 장점이 있지만, 심화
내용으로 갈수록 난도가 높아져 학생들의 [　　㉣　　]을(를) 유발한다는 단점이 있다.

130 ⟨ 교수학습의 기초

●●○

수업의 실행 단계는 크게 도입−전개−정리로 구분된다. 도입 단계에서 교사의 역할은 다음과 같다. 첫째, 수업의 방향을 분명하게 하기 위해 학생들에게 [　　　　⊙　　　　]을(를) 제시한다. 둘째, 학습의 연속성 확보를 위해 [　　　　　　ⓛ　　　　　　]한다. 셋째, 학습자의 학습동기를 높이기 위해 [　　　ⓒ　　　] 을(를) 활용한다.

131 ⟨ 교육공학의 기초

교육공학의 정의에 근거할 때 교육공학의 5가지 영역은 다음과 같다. 첫째, [　　　⊙　　　](이)다. 이는 학습 조건을 구체화하는 과정으로서 수업을 계획하는 것에 해당한다. 둘째, [　　　ⓛ　　　](이)다. 설계에서 구체화된 내용을 물리적으로 완성한다. 셋째, 활용이다. 학습을 위해 수업을 전개하고 여러 자원을 사용한다. 넷째, 관리이다. 계획, 조직, 조정, 감독 등을 통해 교육공학을 통제한다. 다섯째, 평가이다. 교육공학을 활용한 교수학습의 적절성을 결정한다. 한편, 최근에는 윤리적 실천을 교육공학의 정의에 포함시키는데, 윤리적 실천이란 저작권·초상권 보호 등 교육공학을 활용할 때 지켜야 하는 [　　　ⓒ　　　]을(를) 의미한다. 윤리적 실천은 아무리 좋은 매체나 정보의 경우에도 공교육 특성상 [　　　ⓔ　　　]의 원칙을 지켜야 한다는 점에서 중요성을 가진다.

Chapter 02 　교수학습이론

중요도 ○○○

132 　교수학습 패러다임의 변화

과거 전통적 패러다임의 특징은 다음과 같다. 첫째, 교수학습 방법의 측면에서 불변의 지식을 전달하기 위해 [　　　⑤　　　]을(를) 활용한다. 둘째, 평가의 측면에서 불변의 지식을 충분히 습득했는지 확인하기 위해 [　　ⓛ　　] 중심의 지필평가를 실시한다. 이러한 패러다임이 갖는 문제점은 다음과 같다. 첫째, 교사중심의 강의식 수업만을 강조하다 보면 [　　　ⓒ　　　]을(를) 반영하기 곤란하다. 둘째, 결과중심의 평가로 인해 수업 중 나타나는 [　　　ⓔ　　　]을(를) 평가하기 곤란하다.

133 　교수학습 패러다임의 변화

●○○

공학적 패러다임의 특징은 다음과 같다. 첫째, 교육의 공간은 물리적으로 닫힌 교실에서 벗어나 누구나 쉽게 지식에 접근할 수 있는 [　　⑤　　] 학습환경으로 변화한다. 둘째, 교육의 방식은 교사중심의 강의식에서 벗어나 협동학습, 토의토론 학습 등 학습자의 [　　　ⓛ　　　]을(를) 기반으로 하는 활동 중심으로 변화한다. 이러한 특징으로 볼 때 교사와 학생의 역할은 다음과 같다. 첫째, 교사는 학생이 주도적으로 지식을 선택하고 새로운 지식을 창출할 수 있도록 돕는 [　　　ⓒ　　　](으)로서의 역할을 수행한다. 둘째, 학생은 열린 학습환경에서 새로운 지식을 창출하는 주도적인 [　　　ⓔ　　　](으)로서의 역할을 수행한다.

Answer

132 　⑤ 강의식　ⓛ 결과　ⓒ 학습자 특성(흥미)　ⓔ 성장의 과정
133 　⑤ 열린 / 개방적　ⓛ 주체성 / 자율성　ⓒ 안내자 / 조언자　ⓔ 전문가

134 주요 교수학습이론

스키너의 프로그램 교수법이란 완전학습을 목적으로 학습목표에 [　　⑦　　](으)로 달성하게 하는 교수법을 의미한다. 이 교수법의 학습원리는 다음과 같다. 첫째, [　　　ⓒ　　　](이)다. 하나의 학습과정을 쉬운 것에서 점차 어려운 것으로, 단순한 것에서 복잡한 것으로 구성한다. 둘째, [　　　ⓒ　　　](이)다. 개개인의 학생이 학습내용에 대하여 능동적으로 참여하고 활동하도록 내용을 구성한다. 셋째, [　　　@　　　](이)다. 학습자의 속도에 맞게 학습할 수 있도록 기회를 제공한다.

135 주요 교수학습이론　●○○

학습목표에 점진적으로 접근하도록 하여 완전학습을 추구하는 스키너의 프로그램 교수법에서는 프로그램 유형을 2가지로 분류한다. 이 중 제시문의 경우 답변의 정·오답을 기준으로 다른 난이도의 과제를 제공하는데, 이러한 유형의 명칭을 [　　⑦　　] 프로그램이라 한다. 이러한 프로그램의 경우, 학습자의 반응에 [　　ⓒ　　]을(를) 제공하여 학습의 심화·보완이 가능하다는 장점이 있지만, 현실적으로 교실 내에서 다수 학생별로 개별화된 프로그램을 구성하기 어렵고 프로그램의 구성에 [　　ⓒ　　] 이(가) 소요된다는 단점이 있다.

136 주요 교수학습이론　●○○

캐롤의 학교학습모형도에 따를 때, 학습자가 학습과제에 능동적으로 주의집중하여 학습에 몰두한 시간인 학습에 사용한 시간에 영향을 미치는 변인은 다음과 같다. 첫째, [　　⑦　　](이)다. 이는 학습자가 학습을 위해 사용하려는 학습 동기, 의욕 등을 의미한다. 둘째, [　　ⓒ　　](이)다. 이는 교사에 의해 학습에 허용된 시간을 의미한다. 한편, A 교사는 학습에 필요한 시간을 측정하기 위해 교사가 어떤 수업을 하는지, 즉, 교수의 질을 측정하고자 하는데, 이외에 학습에 필요한 시간에 영향을 미치는 변인은 다음과 같다. 첫째, 적성이다. 이는 최적의 학습조건에서 완전히 학습하는 데 필요한 시간으로, 개인의 기본 적성과 [　　ⓒ　　]에 의해서 결정된다. 둘째, [　　@　　](이)다. 이는 학습과제의 성질 및 학습절차를 이해하는 학습자의 능력을 의미한다.

137 〈 주요 교수학습이론

블룸이 제시한 완전학습이란 [㉠] 이상의 학습자가 학습과제의 [㉡] 이상을 학습하는 것을 의미한다. 제시문에서는 완전학습을 위한 수업의 질을 결정하는 변인으로 교사가 제공하는 정보인 [㉢]을(를) 제시하는데, 이것 외에 수업의 질을 결정하는 변인은 다음과 같다. 첫째, 강화이다. 이는 학습과정에서 교사가 제공하는 보상을 의미한다. 둘째, 참여이다. 이는 학습자가 학습과정에 능동적으로 참여한 정도를 의미한다. 셋째, [㉣](이)다. 이는 학습자의 수행에 대한 교사의 지도·조언·교정을 의미한다.

138 〈 주요 교수학습이론

오수벨의 유의미학습이론에 따를 때 학습과제의 특성은 다음과 같다. 첫째, 학습과제는 [㉠]을(를) 가져야 한다. 이는 어떤 과제를 어떻게 표현하더라도 의미와 본성이 변하지 않는 특성을 의미한다. 둘째, 학습과제는 [㉡]을(를) 가져야 한다. 이는 학습과제와 인지구조의 관계가 한번 연결된 이후에는 그 관계가 임의적으로 변경될 수 없는 성질을 의미한다. 한편, 오수벨의 유의미학습이 일어나기 위해 학습자가 갖추어야 할 특성은 다음과 같다. 첫째, 인지적 측면에서 학습자의 인지 구조에 이미 형성된 사전지식인 [㉢]을(를) 지니고 있어야 한다. 둘째, 정의적 측면에서 새로운 학습과제를 기존 인지구조에 연결하려는 학습자의 성향, 의도, 태도인 [㉣]을(를) 지니고 있어야 한다.

139 〈 주요 교수학습이론

오수벨이 제시한 선행조직자란 새로운 과제와 기존 인지구조를 연관짓도록 돕는 [㉠] 진술을 의미한다. 이러한 선행조직자의 유형은 다음과 같다. 첫째, [㉡](이)다. 이는 기존 관련 정착지식과 새로운 학습내용이 전혀 관계가 없을 때 도입하는 새로운 학습내용보다 상위의 포괄적 설명을 의미한다. 둘째, 비교조직자이다. 이는 새로운 과제와 관련 정착지식 간의 [㉢]을(를) 지적하면서 상호관계를 부각하는 것을 의미한다.

Answer

134 ㉠ 점진적 ㉡ 스몰 스텝의 원리 ㉢ 적극적 반응의 원리 ㉣ 자기 속도의 원리
135 ㉠ 분지형 ㉡ 즉각적 피드백 ㉢ 오랜 시간 / 높은 비용
136 ㉠ 학습 지속력 ㉡ 학습 기회 ㉢ 선행학습 정도 ㉣ 교수 이해력
137 ㉠ 95% ㉡ 90% ㉢ 단서 ㉣ 피드백
138 ㉠ 실사성 ㉡ 구속성 ㉢ 관련 정착지식 ㉣ 유의미한 학습태세
139 ㉠ 추상적 / 일반적 / 포괄적 ㉡ 설명조직자 ㉢ 유사성과 차이점

140 ⟨ 주요 교수학습이론　　　●●●

새로운 과제와 관련 정착지식이 연관되도록 도와주는 추상적·일반적·포괄적 진술인 선행조직자의
기능은 다음과 같다. 첫째, 학습자의 기존 인지구조를 자극하여 학습자의 [　　⑦　　]을(를) 유도
한다. 둘째, 앞으로 배울 새로운 과제에 대한 일반적 진술을 통해 [　　ⓒ　　]을(를) 명확하게 해준다.
셋째, 새롭게 제시될 개념의 관계를 부각하여 학습의 [　　ⓒ　　]을(를) 확보하게 해준다.

141 ⟨ 주요 교수학습이론　　　●○○

오수벨은 선행조직자와 유의미한 학습과제를 제시하면서 포섭이 일어난다고 보았는데, 포섭의 의미란
새로운 과제가 인지구조 속에 들어올 때 인지구조에 존재하는 기존의 개념들과 [　　⑦　　]되는 과정을
의미한다. 포섭은 크게 상위적·하위적·병위적 포섭으로 구분되는데, 그중 하위적 포섭의 세부 유형은
다음과 같다. 첫째, [　　ⓒ　　] 포섭이다. 학습자가 기존에 알고 있는 개념에 새로운 사례를 추가하는
것을 의미한다. 둘째, 상관적 포섭이다. 학습자가 기존에 알고 있는 일반적 지식을 [　　ⓒ　　]하여
새로운 지식을 학습하는 것을 의미한다.

142 ⟨ 주요 교수학습이론

오수벨의 유의미학습이론에서 제시하는 교수원리는 다음과 같다. 첫째, [　　⑦　　]의 원리이다.
새로운 학습과제를 제시하기 전 먼저 일반성, 포괄성을 지닌 자료를 제시한다. 둘째, 통합적 조정의
원리이다. 새로운 개념과 기존에 학습한 내용을 의도적으로 [　　ⓒ　　]시켜 관련성을 높인다.
셋째, 선행학습의 요약과 정리의 원리이다. 앞서 학습한 내용을 요약·정리하여 제공함으로써 후속
학습을 촉진한다. 넷째, [　　ⓒ　　]의 원리이다. 학습자의 인지구조뿐 아니라 학습자의 전반적 발달
수준도 고려한다.

143〈 주요 교수학습이론　　　　　●○○

브루너가 제시한 발견학습의 목적은 학습자가 능동적으로 어떤 사실로부터 근본적인 개념과 원리인 [　　　⊙　　　]을(를) 발견하도록 함으로써 학습자의 지력을 향상시키는 데 있다. 이러한 발견학습의 장점은 다음과 같다. 첫째, 인지적 측면에서 지식의 구조를 발견하는 과정에서 핵심 아이디어를 파지하고 다른 내용으로의 [　⊙　]이(가) 촉진된다. 둘째, 정의적 측면에서 학습자 스스로 지식의 구조를 발견하면서 자기주도성을 바탕으로 학문의 즐거움을 느껴 [　ⓒ　] 동기가 유발된다. 그러나 단점으로 지식의 구조를 발견하는 것 자체가 어려워 학습 능력이 높은 학습자에게만 적합하고 학습 능력이 낮은 학습자는 [　　ⓔ　　]을(를) 잃을 수 있다는 점을 들 수 있다.

144〈 주요 교수학습이론　　　　　●○○

지식의 구조를 발견하는 것을 강조하는 브루너의 발견학습의 수업 요소는 다음과 같다. 첫째, [　　　⊙　　　](이)다. 이는 학습자가 학습하고자 하는 의욕, 동기 등을 의미한다. 둘째, 지식의 구조이다. 이는 학문의 기저를 이루고 있는 핵심적인 개념과 원리를 의미한다. 셋째, [　　⊙　　](이)다. 이는 학습내용을 이해·변형·전이하는 데 도움이 될 수 있도록 학습과제를 순서대로 조직하는 것을 의미한다. 넷째, [　ⓒ　](이)다. 이는 학습자의 발달단계의 특성을 고려한 외적 보상과 내적 보상을 포함한다.

145〈 주요 교수학습이론　　　　　●●○

오수벨의 유의미학습이론과 브루너의 발견학습이론의 차이점은 다음과 같다. 첫째, 교육목표의 측면에서 유의미학습이론은 지식 내용의 [　⊙　]을(를) 목적으로 하는 반면, 발견학습이론은 지식의 구조를 발견하고 이를 다른 내용으로 전이하는 것을 목적으로 한다. 둘째, 교수학습 방법의 측면에서 유의미학습이론은 교사중심의 강의식을 주로 활용하나, 발견학습이론은 학습자중심의 [　　⊙　　]을(를) 주로 활용한다. 셋째, 교사의 역할 측면에서 유의미학습이론에서 교사는 지식의 전달자로서의 역할을 수행하는 반면, 발견학습이론에서 교사는 학습자의 탐구를 돕는 [　　ⓒ　　]의 역할을 수행한다.

Answer

140　⊙ 주의집중 / 학습동기　ⓛ 수업목표　ⓒ 연속성
141　⊙ 통합　ⓛ 파생적　ⓒ 연장 / 정교화 / 수정 / 제한
142　⊙ 선행조직자　ⓛ 조화 / 통합　ⓒ 학습준비도
143　⊙ 지식의 구조　ⓛ 전이　ⓒ 내재적　ⓔ 학습동기 / 학습에 대한 흥미
144　⊙ 선행경향성　ⓛ 계열화　ⓒ 강화
145　⊙ 파지　ⓛ 발견학습　ⓒ 조력자 / 안내자

146 〈 주요 교수학습이론 ●○○

켈러의 ARCS 이론에서는 학습동기를 유발하는 요소와 전략을 주의집중, 관련성, 자신감, 만족감으로 구분한다. 이때 주의집중을 유도하기 위한 교수전략은 다음과 같다. 첫째, 지각적 각성이다. [㉠] 등을 활용하여 학습내용을 비일상적이고 새로운 형태로 제시한다. 둘째, 탐구적 각성이다. 학습내용에 [㉡]을(를) 두는 등의 방법으로 학습자의 호기심을 자극한다. 셋째, 변화성이다. 교수목표 달성에 방해를 주지 않는 범위에서 [㉢]을(를) 변화시킨다.

147 〈 주요 교수학습이론 ●●●

A 학생의 학습동기가 떨어지는 이유를 켈러의 ARCS 이론에 근거하여 설명하면 다음과 같다. A 학생은 처음 배우는 독일어의 발음과 문법이 생소해 어려움을 느끼고 있는데, 이는 [㉠] 결여로 이어질 수 있고 이로 인해 학습동기가 낮아질 수 있다. A 학생의 학습동기를 유발하는 구체적인 방법은 다음과 같다. 첫째, 학습요건 전략이다. [㉡]을(를) 분명하게 제공하고 연습의 기회를 부여하여 학생들이 목표를 달성하도록 유도한다. 둘째, 성공기회 전략이다. 학습자에게 [㉢] 을(를) 제공하여 성공경험을 쌓게 한다. 우선 성별이 비교적 명확해 보이는 명사에 관사를 붙이는 연습을 실시하고 점차 과제의 난도를 올려 학습과제를 제시한다. 셋째, [㉣] 전략이다. 학습자가 과제를 선택하고 학습시간을 조절할 수 있도록 한다.

148 〈 주요 교수학습이론

켈러의 ARCS 이론에 근거할 때 B 교사의 교수전략을 분석하면 다음과 같다. 첫째, B 교사는 독일어를 통해 세계 일류 기업에 취업한 사례를 보여줬는데, 이처럼 수업의 실용성에 중점을 두어 동기를 유발하는 것은 ARCS 요소 중 [㉠] 요소와 관련이 있다. 둘째, B 교사는 수업 초기와 이후의 발음을 비교하면서 A 학생이 성장했음을 보여줬는데, 이처럼 성장과정을 관찰하게 하여 내재적 강화를 주는 것은 ARCS 요소 중 [㉡] 요소와 관련이 있다. 셋째, A 학생 스스로 자신에게 맞는 학습계획서를 작성하게 하는 것은 ARCS 요소 중 [㉢] 요소와 관련이 있다.

149 〈 구성주의 교수학습이론

구성주의와 객관주의의 차이점은 다음과 같다. 첫째, 지식관의 측면에서 객관주의는 절대 불변의 지식을 전제하나, 구성주의는 [　　　㉠　　　] 지식을 전제한다. 둘째, 교육목적의 측면에서 객관주의는 절대적 지식의 습득을 강조하나, 구성주의는 상황에 따른 지식의 [　　㉡　　]을(를) 강조한다. 셋째, 교육방법의 측면에서 객관주의는 지식의 전달을 위해 주로 강의식을 활용하지만, 구성주의는 지식의 활용을 위해 [　　　㉢　　　] 등 다양한 교수학습 방법을 활용한다.

03

150 〈 구성주의 교수학습이론

상황에 맞는 지식의 활용을 강조하는 구성주의를 따르는 교수·학습이론들의 공통된 특징은 다음과 같다. 첫째, [　　　㉠　　　](이)다. 절대불변의 지식습득이 아니라 실제 상황과 관련한 문제의 해결을 강조한다. 둘째, 학습자중심 학습이다. 변화하는 환경에 주체적으로 대응하는 개인을 육성하기 위해 학습자에게 [　　㉡　　]을(를) 부여한다. 셋째, 상호작용중심 학습이다. 교사중심의 일방향 강의식을 통한 지식의 파지에서 벗어나 교사·학생 간, 학생과 학생 간의 상호작용을 통한 지식의 [　　㉢　　] 을(를) 강조한다.

151 〈 구성주의 교수학습이론

지식을 새롭게 재구성하는 구성주의는 크게 두 가지 접근방법으로 설명할 수 있다. 먼저, 인지적 접근방법의 특징은 다음과 같다. 첫째, 학습과정 측면에서 학습자 개인의 정신활동인 [　　　㉠　　　]을(를) 통해 인지구조가 재편성되면서 학습이 이루어진다. 둘째, 교사의 역할 측면에서 교사는 [　　㉡　　] 을(를) 통해 인지적 불평형을 유발한다. 다음으로 사회적 접근방법의 특징은 다음과 같다. 첫째, 학습과정 측면에서 타인과의 [　　　㉢　　　]을(를) 통해 근접발달영역을 발달시키면서 학습이 이루어진다. 둘째, 교사의 역할 측면에서 교사는 학생 간의 상호작용을 조력하거나, 동료 학습자로서 학생과 직접 상호작용한다.

Answer

146	㉠ 비유, 은유 / 도표, 그림, 그래픽 / 민담, 비화 ㉡ 빈칸 ㉢ 수업방법 / 내용 순서
147	㉠ 자신감 ㉡ 평가기준(루브릭) ㉢ 수준에 맞는 과제 ㉣ 개인적 통제
148	㉠ 관련성 ㉡ 만족감 ㉢ 자신감
149	㉠ 상대인 ㉡ 적용 / 창출 ㉢ 문제중심, 토의식, 프로젝트 학습
150	㉠ 문제중심 학습 ㉡ 자율권 / 선택권 ㉢ (재)창출 / 전이 / 재구성
151	㉠ 동화와 조절 ㉡ 반문 / 반례 ㉢ (사회적) 상호작용

152 〈 구성주의 교수학습이론　　　　　　　　　　　●○○

실제적 문제의 해결을 위해 자원과 도구를 계획하는 구성주의 학습환경 설계에 따를 때, 문제해결을 위해 활용하는 자원은 다음과 같다. 첫째, ⃞ ⑦ ⃞(이)다. 이는 문제해결을 위한 관련 사례와 경험을 의미한다. 둘째, ⃞ ⑥ ⃞(이)다. 이는 문제해결을 위해 활용 가능한 텍스트, 그래픽, 비디오 등의 자료를 의미한다. 한편, 문제해결을 위한 도구는 다음과 같다. 첫째, ⃞ ⑥ ⃞(이)다. 이는 인지과정을 지원하고 촉진하기 위해 제공되는 시각화, 수행 지원, 정보 수집 도구를 의미한다. 둘째, ⃞ ② ⃞(이)다. 이는 학습자 상호 간에 소통하고 협력할 수 있는 도구를 의미한다.

153 〈 구성주의 교수학습이론　　　　　　　　　　　●●○

실제적 문제의 해결을 위해 자원과 도구를 계획하는 구성주의 학습환경 설계에 따를 때 교사의 역할은 다음과 같다. 첫째, ⃞ ⑦ ⃞(이)다. 문제를 해결할 수 있도록 학습자에게 관련 사례를 제공하거나 문제해결 과정을 요약적으로 설명하여 이를 모방할 수 있도록 돕는다. 둘째, 코칭이다. 학습자의 문제 해결과정을 ⃞ ⑥ ⃞하고 질문 등에 대해 피드백을 해준다. 셋째, 스캐폴딩이다. ⃞ ⑥ ⃞ 을(를) 제공하여 학습자가 자기 능력 이상의 것을 학습할 수 있도록 돕는다.

154 〈 구성주의 교수학습이론　　　　　　　　　　　●○○

학습자의 주체적인 문제해결을 강조하는 구성주의 학습환경 설계에 따를 때 학습자의 역할은 다음과 같다. 첫째, ⃞ ⑦ ⃞(이)다. 학습자는 문제해결을 위한 정보와 지식을 스스로 발견한다. 둘째, ⃞ ⑥ ⃞(이)다. 학습자는 자신이 인지하고 있는 것을 명확하게 한다. 셋째, ⃞ ⑥ ⃞(이)다. 학습자는 자신의 학습과정을 성찰한다.

03

155 ⟨ 구성주의 교수학습이론 ●●○

문제중심학습에서 다루는 과제의 특성은 다음과 같다. 첫째, [　　⑤　　](이)다. 다수의 의료진이 토의를 통해 다양한 처방을 마련하는 것과 같이 하나의 문제에 대해서는 다양한 해결방안이 나올 수 있어야 한다. 둘째, 실제성이다. 실전에서 마주하는 환자의 질환처럼 문제중심학습에서의 문제는 실제로 [　ⓒ　]할 수 있어야 한다. 셋째, [　　ⓒ　　](이)다. 환자의 질환이 분명하게 나타나지 않아 의료진이 새롭게 정의해야 하는 것처럼, 문제는 학습자 주도의 다양한 해석이 필요하다. 넷째, [　　ⓔ　　](이)다. 학생들에게 학습에 대한 흥미를 유발하고 동기를 부여하기 위해서 문제는 학습자의 발달단계에 적합하고 삶과도 연결되어야 한다.

156 ⟨ 구성주의 교수학습이론

실제적 문제를 학습자 주도로 해결하는 문제중심학습의 장점은 다음과 같다. 첫째, 실생활과 관련한 문제를 제공하여 학습자의 [　　⑤　　]을(를) 유발한다. 둘째, 학습자 스스로 문제해결과정에 참여하게 하여 미래사회에 필요한 [　　ⓒ　　]을(를) 함양하게 한다. 반면, 문제중심학습의 단점으로는 첫째, 문제가 너무 복잡하면 [　　　　　ⓒ　　　　　]이(가) 나타날 수 있다는 점, 둘째, 지나치게 자기주도성만 강조하는 경우 학습자의 역량에 따라 [　　ⓔ　　]이(가) 크게 발생할 수 있다는 점을 들 수 있다.

157 ⟨ 구성주의 교수학습이론 ●●●

프로젝트 학습법이란 교육 실제에 있어서 일의 [　　　⑤　　　]을(를) 기르는 교육방법을 의미한다. 이러한 프로젝트 학습법을 통해서 길러지는 역량은 다음과 같다. 첫째, 스스로 일을 계획하는 과정에서 [　　　ⓒ　　　]을(를) 함양할 수 있다. 둘째, 실제 문제를 해결하기 위해 지식을 수집하고 활용하는 과정에서 [　　　ⓒ　　　]을(를) 함양할 수 있다. 셋째, 새로운 프로젝트 결과물을 새롭게 창출하는 과정에서 [　　ⓔ　　]을(를) 함양할 수 있다.

Answer

152	⑤ 관련 사례 ⓒ 정보 자원 ⓒ 인지적 도구 ⓔ 대화·협력의 도구
153	⑤ 모델링 ⓒ 모니터링 ⓒ 힌트 / 학습의 방향
154	⑤ 탐색 ⓒ 명료화 ⓒ 반추 / 반성
155	⑤ 복잡성 ⓒ 경험 ⓒ 비구조화성 ⓔ 관련성
156	⑤ 학습동기 ⓒ 자기주도성 ⓒ 학습자가 이해하기 어렵고 학습에 혼란 ⓔ 학습 격차
157	⑤ 계획과 수행능력 ⓒ 자기관리 역량 ⓒ 지식정보처리 역량 ⓔ 창의적 사고 역량

158 구성주의 교수학습이론 ●●●

일의 계획과 수행을 강조하는 프로젝트 학습법의 절차 중 (가)는 [㉠](으)로서, 이는 목표 달성을 위한 대안을 마련하고 검토하는 활동을 의미한다. 또한 (나)는 [㉡]에 해당하는데, 이는 학습자 스스로 자신의 수행과정을 평가하는 활동을 의미한다. 프로젝트 학습의 성공을 위한 교사의 역할은 다음과 같다. 첫째, (가)에 해당하는 계획 수립을 위해서 교사는 [㉢]을(를) 제시하고 계획 활동과정을 관찰 및 피드백한다. 둘째, (나)에 해당하는 평가를 위해서 교사는 학습자가 스스로 평가할 수 있는 [㉣]을(를) 제공한다.

159 구성주의 교수학습이론

상황학습이론의 특징은 다음과 같다. 첫째, 학습목표 측면에서 지식의 [㉠]을(를) 강조한다. 둘째, 학습내용 측면에서 [㉡]을(를) 다루며 실제 사례를 포함한다. 셋째, 학습방법 측면에서 프로젝트 학습 등 실생활 문제에 대해 학습자가 주도적으로 해결방안을 제시하는 수업을 실시한다. 성공적인 상황학습이론을 위해 교사는 학생들의 주도적 학습을 안내하고 방향을 제시해주는 [㉢](으)로서 역할을 수행한다.

160 구성주의 교수학습이론 ●●○

A 교사는 맥락정착적 교수이론을 바탕으로 가상의 사례를 앵커로 활용하고 있다. 이때 앵커란 학생들이 탐구해야 할 데이터와 단서가 포함된 [㉠]을(를) 의미한다. 이러한 교수학습 방법의 장점은 다음과 같다. 첫째, 인지적 측면에서 교실에서 배운 지식을 실생활로 [㉡]하는 데 도움이 된다. 둘째, 정의적 측면에서 영상 등을 통해 과제를 제시하고 해결하게 함으로써 학습자들의 [㉢]을(를) 유발하는 데 도움이 된다.

161 〈 구성주의 교수학습이론

맥락정착적 교수이론에서는 지식과 실제 생활의 연결을 위해 앵커를 제시할 것을 강조한다. 이때 효과적 앵커의 특성은 다음과 같다. 첫째, 실생활과 관련한 [㉠   ]의 형태이다. 둘째, 학습자 수준에 부합하는 문제로 구성되어 있고, 문제해결에 필요한 단서들이 [㉡   ]되어 있다. 셋째, 결말을 보여주지 않고 학생들이 해결해야 할 문제를 제시하는 등 [㉢   ]을(를) 갖는다.

162 〈 구성주의 교수학습이론

학습자 스스로 다양한 자원을 선택·활용하는 것을 강조하는 자원기반학습은 정보가 폭발적으로 증가하는 지식정보사회에서 2022 개정 교육과정에서 강조하는 [㉠   ]을(를) 함양하기 위해 필요하다고 할 수 있다. 자원기반학습을 통해 획득하는 기능은 다음과 같다. 첫째, [㉡   ] 기능이다. 자원기반학습을 통해 문제해결을 위한 자원을 찾아내고 자원에 포함된 지식적 요소를 발견하게 된다. 둘째, [㉢   ] 기능이다. 자원기반학습을 통해 문제와 정보의 가치를 분석하고 정보와 관련한 실생활 문제를 정확하게 이해하도록 해준다. 셋째, [㉣   ] 기능이다. 자신이 발견한 정보를 변형하고 이를 다른 사람과 공유하도록 해준다.

163 〈 구성주의 교수학습이론

학습자 스스로 다양한 자원을 선택·활용하는 것을 강조하는 자원기반학습에서 활용할 수 있는 학습자원의 종류는 다음과 같다. 첫째, 유적지·산과 바다 등 지역 내 [㉠   ]이(가) 있다. 둘째, [㉡   ] 등 지역 내 물적·시설적 자원이 있다. 셋째, 지역 내 예술가·과학자 등 [㉢] 자원이 있다. 넷째, 교육기관에서 운영하는 웹사이트 등 [㉣   ]이(가) 있다.

Answer

158	㉠ 계획 수립 ㉡ 평가 ㉢ 우수 사례 ㉣ 평가의 기준(루브릭)
159	㉠ 전이 ㉡ 실제적 과제 ㉢ 촉진자 / 보조자 / 코치
160	㉠ 거시적인 이야기 ㉡ 전이 ㉢ 흥미(동기)
161	㉠ 이야기 ㉡ 내재 ㉢ 선·후 과제와 연관성
162	㉠ 지식정보처리 역량 ㉡ 위치 확인 ㉢ 분석과 이해 ㉣ 보고 및 제시
163	㉠ 자연환경 및 문화유산 ㉡ 박물관, 미술관, 대학 ㉢ 인적 ㉣ 온라인 자원

164 〉 구성주의 교수학습이론　　●○○

교과서 외 다양한 자원을 활용하고, 학습자 스스로가 정보를 탐색하고 재가공하는 데 초점을 둔 자원기반학습의 장점은 다음과 같다. 첫째, 교과서 밖으로 학습내용 범위를 넓혀 학습자의 [　　⊙　　]을(를) 확대한다. 둘째, 스스로 정보를 탐색하고 재가공하는 과정에서 학습자의 [　　ⓛ　　]이(가) 함양된다. 반면 자원기반학습의 단점은 다음과 같다. 첫째, 교과서 밖의 자원을 활용하는 과정에서 [　　ⓒ　　] 정보에 노출될 수 있다. 둘째, 학습자의 기본 정보활용능력의 차이가 학업 성취도에 직접적인 영향을 미쳐 [　　㉣　　]이(가) 발생할 수 있다.

165 〉 구성주의 교수학습이론　　●●●

Big 6 Skills 모형에서는 문제해결과정에서 요구되는 정보활용 기술을 인간의 인지 단계에 따라 구분한다. (가)는 [　　⊙　　] 단계인데, 이때 작용하는 인지능력은 정보를 비교·평가하는 [　　ⓛ　　] 능력이다. 이 단계에서의 구체적인 활동으로는 학습자 간 협의 등을 통해 학습자가 찾아낸 정보가 [　　ⓒ　　]을(를) 들 수 있다. 이때 교사는 학생들의 활동을 촉진할 수 있도록 [　　㉣　　]을(를) 제공한다.

166 〉 구성주의 교수학습이론　　●●○

스피로가 제시한 인지적 유연성이란 여러 범주의 지식을 넘나들며 다양한 방법으로 지식을 연결하여, 급격하게 변화하는 상황적 요구에 대해 융통성 있게 지식을 [　　⊙　　]을(를) 의미한다. 이러한 인지적 유연성을 함양하기 위해 학습자의 인지구조 속에는 상황에 따라 유연하게 적용할 수 있는 [　　ⓛ　　]이(가) 형성되어야 한다. 한편, 이 이론의 특징은 다음과 같다. 학습 방법의 측면에서 매체를 활용하여 동일한 내용을 [　　ⓒ　　] 관점으로 제시한다. 둘째, 학습내용 측면에서 구체적 맥락 속에서 지식 활용을 위해 단순하거나 일반화된 문제보다는 [　　㉣　　] 을(를) 제시한다.

167 〈 구성주의 교수학습이론

급변하는 상황적 요구에 대응하기 위해 학습자 스스로 융통성 있게 지식을 활용하는 능력인 인지적 유연성을 형성시키기 위한 학습원리는 다음과 같다. 첫째, [㉠](이)다. 상황적 요구에 대응하기 위해 분과적인 교과내용보다는 실생활과 관련한 학습내용을 제시한다. 둘째, [㉡](이)다. 학습자가 스스로 과제를 다룰 수 있을 정도로 학습자의 수준을 고려하여 과제를 세부적으로 구분한다. 셋째, [㉢](이)다. 하나의 주제에 관한 다양한 관점을 학습할 수 있도록 사례 형태로 과제를 제시한다.

168 〈 구성주의 교수학습이론

매체를 활용하여 사회문제의 다양한 관점을 학습하도록 하는 인지적 유연성이론의 장점은 다음과 같다. 우선 인지적 측면의 장점으로는 첫째, 매체를 활용해 다양한 지식과 관점을 제시하므로 [㉠] 이(가) 확대된다. 둘째, 사회문제를 제시하고 이를 해결하게 함으로써 지식의 [㉡]이(가) 촉진된다. 다음으로 정의적 측면의 장점으로는, 첫째, 매체를 활용하여 학생의 주의집중을 이끌고 [㉢] 을(를) 유발할 수 있다. 둘째, 다양한 관점을 학습함으로써 2022 개정 교육과정에서 강조하는 [㉣]을(를) 함양할 수 있다.

169 〈 구성주의 교수학습이론

전문가와 초심자 간의 상호작용을 강조하는 인지적 도제이론에 근거한 수업의 목적은 전문가 행동에 대한 [㉠]을(를) 바탕으로 [㉡]하게 하는 데 있다. 이 이론에서 제시하는 절차에 따를 때 제시문의 2단계에서 교사는 학습자가 자신의 사고과정을 [㉢]하거나 성찰할 수 있도록 학습자에게 질문한다. 3단계에서 교사는 학습자가 자신의 문제해결방법을 스스로 고안하는 [㉣]을(를) 위해 학습자에게 문제를 제시하고 해결방안을 발표할 기회를 제공한다.

Answer

164 ㉠ 인지 경험 ㉡ 자기주도성 / 행위주체성 ㉢ 부정확하거나 비윤리적인 ㉣ 학습 격차

165 ㉠ 정보 활용 ㉡ 분석 ㉢ 적합한지 가려내는 것 ㉣ 판별 기준 / 우수 사례

166 ㉠ 활용하는 능력 ㉡ 상황 의존적인 스키마의 연합체 ㉢ 다양한 ㉣ 복잡한 문제

167 ㉠ 주제중심의 원리 ㉡ 세분화의 원리 ㉢ 소규모 사례 제시의 원리

168 ㉠ 인지 경험 ㉡ 전이 ㉢ 학습동기(흥미) ㉣ 포용성

169 ㉠ 모방(모델링) ㉡ 새로운 지식을 창출 ㉢ 명료화 ㉣ 탐색

170 〉 구성주의 교수학습이론

전문가와 초심자 간의 상호작용을 통해 지식을 습득하고 학습자 스스로 활용하게 하는 학습인 인지적 도제이론에 근거한 수업의 장점은 다음과 같다. 첫째, 교사와 학생의 적극적 상호작용을 통해 교사와 학생 간 [㉠   ]을(를) 형성할 수 있다. 둘째, 학습능력이 낮은 초보적인 학습자라도 [㉡   ]을(를) 바탕으로 전문가의 문제해결과정을 손쉽게 학습할 수 있다. 반면 단점은 다음과 같다. 첫째, 상호작용이 강조되는데, 교수자나 전문가의 상호작용 역량에 따라 [㉢   ]이(가) 크게 발생할 수 있다. 둘째, 잘못된 것을 모방하거나 전문가의 문제해결과정을 단순 모방하는 데 그칠 수 있다.

171 〉 구성주의 교수학습이론

실천공동체이론에서 강조하는 실천공동체란 자신의 일에 대한 관심과 열정을 [㉠   ]하고 정기적으로 타인과 상호작용함으로써 그것을 더 잘하는 방법을 배우려는 사람들의 모임을 의미한다. 이 이론에서는 초보자를 전문가로 성장시키기 위해 실천공동체에 단계적으로 참여하도록 하는데, 이처럼 학습자가 주변인의 위치에서 점차 실천가, 전문가의 위치로 이동하는 것을 [㉡   ](이)라고 한다. 이 이론이 갖는 교육적 의의는 다음과 같다. 첫째, 학습은 사람들과의 관계 속에서 발생한다는 것을 강조하여 [㉢   ]의 중요성을 인식하게 해준다. 둘째, 점진적으로 공동체의 일원이 되는 과정을 강조하여 과정중심학습의 중요성을 인식하게 해준다.

172 〉 구성주의 교수학습이론　　　　　　　　　　●●○

독해력 향상을 목적으로 하는 상보적 교수이론을 적용한 수업에서 활용해야 하는 교수전략은 다음과 같다. 첫째, [㉠   ](이)다. 교재의 제목, 사진, 머리말 등만 읽고 전체 내용을 추측해 본다. 둘째, [㉡   ](이)다. 글을 읽어나가면서 중요한 내용을 학습자끼리 서로 물어본다. 셋째, [㉢   ](이)다. 글 속의 어려운 단어를 이해하기 위해 다시 읽어보면서 글의 내용을 명확하게 한다. 넷째, [㉣   ](이)다. 글을 정독한 이후에 중요한 내용을 중심으로 정리한다.

173 〈 구성주의 교수학습이론

학습자 간 상호작용을 통해 텍스트를 읽고 이해하고 요약하는 상보적 교수이론의 장점은 다음과 같다. 첫째, 학습자 간 협동을 통해 혼자서는 학습할 수 없었던 영역인 [㉠   ]을(를) 발달시킬 수 있도록 해준다. 둘째, 텍스트를 읽고 요약하는 활동을 통해 2022 개정 교육과정에서 제시한 기초 소양 중 하나인 [㉡   ]을(를) 기르게 해준다. 반면 이 이론의 단점으로는, 첫째, 학습의 시너지 효과를 낼 수 있는 [㉢   ]을(를) 선정하기 어렵다는 점, 둘째, 과학실험·신체활동과 같이 텍스트 외 다른 수업으로 해당 이론을 [㉣   ]하기 곤란하다는 점을 들 수 있다.

174 〈 구성주의 교수학습이론　　　　　　　　　　●○○

학습자들에게 역할을 부여하여 지식과 기술을 습득해 가도록 하는 목표기반 시나리오의 구성요소는 다음과 같다. 첫째, 목표를 설정하기 위해 수행해야 하는 과제를 제시하는데, 이를 [㉠   ](이)라고 한다. 둘째, 해당 과제와 관련한 상황 맥락을 이야기 형식으로 설명하는데, 이를 [㉡   ](이)라고 한다. 셋째, 학습자가 과제해결 과정에서 어려움을 겪는 경우 교사가 적절한 도움을 제공하는데, 이를 [㉢   ](이)라 한다.

Answer

170	㉠ 긍정적 유대감(유대관계) ㉡ 모방(모델링) ㉢ 학습 격차
171	㉠ 공유 ㉡ 합법적 주변 참여 ㉢ 협동학습
172	㉠ 예견하기 ㉡ 질문하기 ㉢ 명료화하기 ㉣ 요약하기
173	㉠ 근접발달영역 ㉡ 언어 소양 ㉢ 우수한 (또래)학습자 ㉣ 일반화
174	㉠ 미션(임무) ㉡ 표지 이야기(커버스토리) ㉢ 피드백

Chapter 03　교수설계

중요도 ○○○

175 〈 교수설계의 기초　　　　　　　　　　　　　　　　　　　　　　　　　●○○

교수설계에 있어서 체제적 접근이란 교수설계와 관련한 모든 구성요소의 관계를 [　　ㄱ　　](으)로 검토하여 목표를 수립하고 과업을 수행하며 결과를 목표에 비추어 평가하고 수정하는 방법을 의미한다. 이러한 체제적 접근방법의 효과성은 다음과 같다. 첫째, 초기부터 [　　ㄴ　　]에 초점을 두기 때문에 후속 계획 및 실행 단계를 일관된 방향으로 이끌 수 있다. 둘째, 교수설계의 각 단계들을 연관시켜 교수설계의 [　　ㄷ　　]을(를) 확보하게 해준다. 셋째, 실험적 · 반복적이기 때문에 설계 과정에서의 오류를 지속 수정 · 보완하여 질 높은 교수설계를 가능하게 해준다.

176 〈 교수설계의 기초　　　　　　　　　　　　　　　　　　　　　　　　　●○○

교수설계의 일반적인 절차는 다음과 같다. 첫째, 분석이다. [　　　　ㄱ　　　　] 등을 분석하여 수업의 목표를 선정한다. 둘째, 설계이다. 분석을 바탕으로 [　　ㄴ　　]을(를) 구체적으로 진술하고 교수학습 방법과 교육매체를 선정한다. 셋째, [　　ㄷ　　](이)다. 가르칠 자료를 개발하고 해당 자료에 대한 형성평가 및 피드백을 통해 교수자료를 개선한다. 넷째, [　　ㄹ　　](이)다. 교수학습을 실제로 전개한 이후에 교수자료 및 프로그램에 대한 적절성 평가를 시행한다.

177 〈 교수설계의 기초　　　　　　　　　　　　　　　　　　　　　　　　　●○○

일반적인 교수설계 절차 중 첫 번째 단계인 분석 단계에서는 요구분석을 실시한다. 요구분석이란 불확실한 문제의 본질을 규명하는 것으로, 현재 상태와 바람직한 상태의 [　　ㄱ　　]을(를) 확인하는 것을 의미한다. 이러한 요구분석의 목적은 수업목표의 [　　ㄴ　　]을(를) 파악하는 데 있다. 구체적인 요구분석 기법은 다음과 같다. 첫째, [　　ㄷ　　](이)다. 학습자 집단에게 어떤 유형의 교육 프로그램을 적용 가능한지 프로그램의 종류, 자주 활용되는 프로그램 등을 조사한다. 둘째, [　　ㄹ　　](이)다. 관심집단의 표본을 대상으로 우편, 면담, 전화 등을 통해 요구를 파악한다.

178 〈 교수설계의 기초

교수설계 시 분석 단계에서 이루어지는 과제분석이란 목표 달성을 위해 필요한 지식, 기능, 태도를 파악하고 이들 간의 관계와 계열성을 확인하는 것이다. 이러한 과제분석의 목적은 과제의 핵심 개념, 난이도 등을 파악함으로써 학습과제의 □ ㉠ □와(과) □ ㉡ □을(를) 확정하기 위함이다. 한편, 지문의 각 교사가 활용한 과제분석 방법은 다음과 같다. 첫째, A 교사는 □ ㉢ □을(를) 활용하였다. 사찰의 명칭과 지역처럼 논리적 구조가 없는 언어적 정보의 경우 교수목표와 관련한 정보를 범주별로 묶어서 분석한다. 둘째, B 교사는 □ ㉣ □을(를) 활용하였다. 목표 달성을 위해 학습자의 수준을 단계별로 분석하고 이에 맞는 학습과제를 분류한다.

179 〈 교수설계의 기초

학습자의 특성 중 내적 특성은 다음과 같다. 첫째, 인지적 측면에서 학습자의 지능, □ ㉠ □ 등이 있다. 둘째, 정의적 측면에서 □ ㉡ □이(가) 있다. 다음으로 학습자에게 영향을 미치는 외적 특성은 다음과 같다 첫째, 부모님과의 관계, 부모의 사회경제적 지위 등 □ ㉢ □이(가) 있다. 둘째, 태블릿 PC, 네트워크 환경 등 학습과 관련한 □ ㉣ □이(가) 있다.

180 〈 교수설계이론

가네의 학습위계이론에 따를 때 학습의 결과로서 형성된 5가지 능력 중 가네가 가장 강조하는 능력은 □ ㉠ □(이)다. 이는 언어와 같은 □ ㉡ □을(를) 사용하여 환경과 상호작용하는 능력을 의미한다. 이러한 능력은 단순한 신호를 이해하는 것부터 고차원 규칙을 이해하는 것까지 □ ㉢ □ 되어 있다는 특징을 갖는다.

Answer	
175	㉠ 종합적 / 총체적 ㉡ 명확한 목표 진술 ㉢ 연속성
176	㉠ 학습과제, 학습자 특성, 학습환경 ㉡ 학습목표 ㉢ 개발 ㉣ 평가
177	㉠ 격차 ㉡ 우선순위 ㉢ 자원명세서 조사 ㉣ 설문조사
178	㉠ 범위 ㉡ 계열성 ㉢ 군집분석 ㉣ 위계분석
179	㉠ 선수학습 지식 ㉡ 학습동기 ㉢ 가정환경 ㉣ 물적 환경
180	㉠ 지적 기능 ㉡ 상징적 기호 ㉢ 위계화

181 〈 교수설계이론   ●○○

가네의 학습위계이론에 근거할 때 수업을 통해 형성되는 인지전략이란 학습자가 자신만의 독특한 방식으로 [㉠   ]을(를) 의미한다. 인지전략은 학습자가 어떤 인지전략을 어떻게 사용하느냐에 따라 [㉡   ](이)가 달라지기 때문에 중요하다고 할 수 있다. 한편, A 학생이 활용한 인지전략의 유형은 다음과 같다. 첫째, [㉢   ](이)다. 우선 정보를 구조화하고 세부 정보를 배치함으로써 하나의 구조로서 정보를 정리한다. 둘째, [㉣   ](이)다. 정보를 구조적으로 정리한 이후 이를 반복해서 읽거나 쓰는 활동을 통해 정보를 암기한다.

182 〈 교수설계이론

가네의 교수설계이론에서는 학습자의 내적 조건에 따라 외적 조건을 제공해야 한다고 본다. 이때 외적 조건은 학습자의 내적 인지과정을 돕는 환경적 자극, 즉 [㉠   ]을(를) 의미한다. 이러한 외적 조건 형성을 위한 기본 원리는 다음과 같다. 첫째, [㉡   ](이)다. 행동에 적절한 내·외적 보상이 제공되면 학습이 보다 원활하게 이루어진다. 둘째, [㉢   ](이)다. 학습자의 반응에 즉각적인 피드백이 있는 경우 학습의 효과성이 높아진다. 셋째, 연습의 원리이다. 학습자에게 [㉣   ]을(를) 제공하면 학습이 촉진된다.

183 〈 교수설계이론   ●●○

가네의 교수설계이론에 따를 때 수업의 전개 단계에서 실시할 수 있는 외적 수업사태는 다음과 같다. 첫째, 학습자료가 학습자의 장기기억에 저장되도록 [㉠   ]을(를) 제시한다. 이때에는 마인드맵과 같은 구조화 자료를 제시하거나 청킹 등의 암기법을 제공하여 지식의 파지를 유도한다. 둘째, 학습자의 내적 반응을 촉진하도록 [㉡   ]을(를) 제공하여 학습 수행을 유도한다. 질문 활동, 토의 토론 활동을 통해 학습자가 스스로 학습자료를 탐색·회상·수행하도록 한다. 셋째, 학습한 것이 강화될 수 있도록 [㉢   ]을(를) 제공한다. 이때 학습활동에 대해 잘한 점과 못한 점, 개선사항 등을 알려준다.

184 교수설계이론

복잡한 내용을 가르치기 위한 교수설계이론인 라이겔루스의 정교화이론에서 제시한 정교화 조직모형은 다음과 같다. 첫째, [　　　㉠　　　](이)다. 이는 일반적이고 포괄적인 개념으로부터 구체적 개념으로 순서를 조직하는 모형을 의미한다. 둘째, [　　　㉡　　　](이)다. 이는 목표로 하는 단계별 기술을 획득하는 최적의 과정을 조직하는 모형을 의미한다. 셋째, [　　　㉢　　　](이)다. 이는 단순한 원리와 법칙으로부터 복잡·구체화된 원리와 법칙으로 순서를 조직하는 모형을 의미한다.

185 교수설계이론

거시적 교수전략으로서 라이겔루스의 정교화이론에 따를 때 A 교사가 실시한 정교화 전략은 다음과 같다. 첫째, 예전에 배웠던 내용과 연결시키는 전략은 [　　㉠　　](이)다. 둘째, 마인드맵과 같이 구조화된 자료를 활용하는 전략은 [　　㉡　　](이)다. 이들 전략의 효과는 다음과 같다. 첫째, 예전에 배웠던 내용과 연결시킴으로써 학습의 [　　㉢　　]을(를) 확보하게 해준다. 둘째, 마인드맵을 활용함으로써 복잡한 학습내용을 구조화하고 지식의 [　　㉣　　]을(를) 촉진한다.

186 교수설계이론

미시적 조직 전략으로서 단일 아이디어를 가르치는 교수설계이론인 라이겔루스의 개념학습의 교수 원리는 다음과 같다. 첫째, [　　㉠　　](이)다. 대표적 사례를 통해 개념을 대표하는 가장 본질적인 특성을 가르친다. 둘째, 변별이다. 대표적 사례와 결정적 속성에서 차이를 보이는 [　　㉡　　]을(를) 제시한다. 셋째, [　　㉢　　](이)다. 발산적 사례를 제시하여 개념이 가진 가변적 특성이 개념 대상에 속하는 모든 것에 적용됨을 보여준다.

Answer

181　㉠ 기억·사고하는 능력 ㉡ 학습 효과 ㉢ 조직화 ㉣ 리허설
182　㉠ 수업사태 / 교수활동 / 수업활동 ㉡ 강화의 원리 ㉢ 접근의 원리 ㉣ 연습문제
183　㉠ 학습안내 ㉡ 연습 기회(문제) ㉢ 피드백
184　㉠ 개념적 조직모형 ㉡ 절차적 조직모형 ㉢ 이론적 조직모형
185　㉠ 종합자 ㉡ 인지전략 활성자 ㉢ 연속성 / 체계성 ㉣ 파지
186　㉠ 전형 ㉡ 대응적 비사례 ㉢ 일반화

187 교수설계이론　　●○○

미시적 조직 전략 중 하나인 라이겔루스의 개념학습에 따를 때 개념을 획득하기 위한 구체적 교수학습 방법은 다음과 같다. 첫째, 개념을 [　　㉠　　]한다. 해당 개념의 가장 전형적인 예와 함께 다양한 사례를 통해 일반화한다. 둘째, 개념을 연습시킨다. [　　　㉡　　　]을(를) 제공하여 다양한 사례에 해당 개념을 적용할 수 있도록 한다. 셋째, [　　㉢　　]을(를) 제공한다. 교사는 개념의 습득 및 적용활동 과정에서 보이는 학생활동을 관찰하고 칭찬과 격려를 통해 학습자를 동기화한다.

188 교수설계이론　　●●●

학습내용 조직 전략으로서 정교화이론은 복잡한 내용을 다루는 [　　㉠　　] 조직전략이나, 내용요소제시이론은 개념·사실 등 [　　　㉡　　　]을(를) 다루는 미시적 조직전략이다. 한편, 내용요소제시이론에서는 단일한 내용과 수행이 담긴 학습목표를 분석하기 위한 틀로서 내용−수행 행렬표를 제시하는데, 이 표에서 제시한 내용 수준은 수업에서 다루고 있는 과제의 유형으로, [　　　㉢　　　] (으)로 구분된다. 반면, 수행 수준은 수업에서 다루는 과제에 대한 학습자의 수행내용으로서 [　　　㉣　　　](으)로 구분된다.

189 교수설계이론

메릴의 내용요소제시이론에서는 목표 달성을 위한 기본적인 자료 제시형으로 1차 자료 제시형을 제안한다. 이때 1차 자료 제시형의 유형은 다음과 같다. 첫째, [　　㉠　　](이)다. 교사는 일반적인 내용을 일방적으로 설명한다. 둘째, [　　㉡　　](이)다. 교사는 구체적 예시를 설명하거나 시범 보인다. 셋째, [　　㉢　　](이)다. 교사는 학습자가 일반적 내용을 회상하도록 질문한다. 넷째, [　　㉣　　](이)다. 교사는 학습자에게 특정 사례를 적용하는 연습문제를 제시한다.

190 〈 교수설계이론

내용요소제시이론에서는 교수의 효과성을 높이기 위해 2차 자료 제시형을 강조한다. 2차 자료 제시형이란 1차 자료 제시형의 [㉠]을(를) 목적으로 부가적인 자료를 제시하는 것을 의미한다. 이것의 세부 유형과 교육적 효과는 다음과 같다. 첫째, [㉡]의 제시이다. 교수내용과 관련한 상황이나 역사적 배경을 제시하여 학습에 관한 전반적 상황에 대한 이해를 돕는다. 둘째, [㉢]을(를) 제공한다. 암기 방법을 제시하여 단일한 아이디어를 효과적으로 기억할 수 있도록 돕는다. 셋째, [㉣](이)다. 일반적 내용을 다이어그램, 공식, 차트 등으로 표현하여 내용의 구조적 이해를 돕는다.

191 〈 다양한 교수설계모형

글레이져의 교수설계모형에 따를 때 4가지 단계별 명칭과 내용은 다음과 같다. 첫째, 수업목표 설정이다. 전반적 교수학습의 지침으로 수업목표를 [㉠](으)로 진술한다. 둘째, [㉡](이)다. 진단평가 등을 통해 학습자의 인지적·정의적 요소를 확인한다. 셋째, [㉢](이)다. 수업의 도입·전개·정리 단계별로 구체적 교수·학습활동을 계획한다. 넷째, 학습성과 평가이다. 총괄 평가를 통해 수업의 효율성을 최종적으로 확인한다.

192 〈 다양한 교수설계모형

일반적 교수설계모형으로서 애디 모형의 설계 단계는 교수 프로그램을 계획하고 문서화하는 단계인데, 설계 시 반영할 내용은 다음과 같다. 첫째, 학습자들이 달성해야 할 [㉠]을(를) 반영한다. 둘째, [㉡]와(과) 매체를 반영한다. 설계 이후에는 개발·실행을 거쳐 평가를 진행하는데, 이때 평가 단계란 [㉢]을(를) 평가하는 단계로서 교수내용이 효과적으로 전달되었는지 여부를 평가한다.

Answer

187 ㉠ 제시 ㉡ 연습문제 ㉢ 피드백
188 ㉠ 거시적 ㉡ 단순한 내용 ㉢ 사실, 개념, 절차, 원리 ㉣ 기억하기, 활용하기, 발견하기
189 ㉠ 일반성 설명식 ㉡ 사례 설명식 ㉢ 일반성 탐구식 ㉣ 사례 탐구식
190 ㉠ 정교화 ㉡ 맥락 ㉢ 기억술 ㉣ 표상법
191 ㉠ 구체적 (행동용어) ㉡ 출발점행동 진단 ㉢ 학습지도 절차
192 ㉠ 학습목표 ㉡ 교수전략 ㉢ 교수 프로그램

193 ᐸ 다양한 교수설계모형　　　　　●●●○

일반적 교수설계 모형을 구체화한 딕과 캐리 모형에 근거할 때 성취목표 진술 이전에 해야 할 일은 다음과
같다. 첫째, [　　　⑦　　　]을(를) 확인한다. 학습자가 수업을 통해 성취해야 할 것을 분명하게 정의
한다. 둘째, [　　⑥　　](이)다. 설정한 학습목표를 달성하기 위해 필요한 지식과 기술을 세분화한다.
셋째, 학습자를 분석한다. 학습자의 현재 도달 수준뿐 아니라 [　　　　⑥　　　　]등을
분석한다.

194 ᐸ 다양한 교수설계모형　　　　　●●●

일반적 교수설계 모형을 구체화한 딕과 캐리 모형은 목표 진술 전 교수분석을 강조하는데, 교수분석이란
설정한 학습목표를 달성하기 위하여 필요한 지식과 기술을 [　　⑦　　]하는 것을 의미한다. 이 단계
에서 분석내용은 다음과 같다. 첫째, [　　⑥　　]을(를) 분석한다. 이전 단계에서 확인한 학습목표를
구체적으로 정의하고 이를 달성하기 위한 지식·기술을 분석한다. 둘째, [　　⑥　　]을(를) 분석
한다. 학습목표 달성을 위해 필요한 하위 지식·기술 등을 계열화한다.

195 ᐸ 다양한 교수설계모형

딕과 캐리 모형은 일반적 교수설계모형을 구체화한 이론으로서, 다른 모형들과 마찬가지로 성취목표를
진술할 때 학습의 방향성을 명확하게 하기 위해 [　　⑦　　](으)로 진술해야 한다는 구체성의 원칙을
준수해야 한다. 이때 목표에 반영되어야 하는 요소는 다음과 같다. 첫째, 학습이 끝났을 때 학습자가 성취할
것으로 기대되는 [　　⑥　　], 둘째, 행동이 실행될 [　　⑥　　], 셋째, 행동의 성취 여부를
판단할 [　　②　　]을(를) 들 수 있다.

---

196 **다양한 교수설계모형** ●○○

딕과 캐리 모형에서 교수전략을 개발할 때 전략 영역은 다음과 같다. 첫째, [㉠](이)다. 이는 수업 전에 학습방법을 안내하거나 환경을 정비하는 것을 포함한다. 둘째, [㉡] (이)다. 이는 수업 중 학습내용을 설명하거나 예시를 제공하는 것을 포함한다. 셋째, 사후 활동이다, 이는 수업 후 수업과 관련한 [㉢]을(를) 이행하게 하는 것을 포함한다.

03

---

197 **다양한 교수설계모형** ●○○

딕과 캐리 모형에서 형성평가란 교수 프로그램을 교육현장에 투입하기 전에 [㉠](으)로 적용하는 평가를 의미한다. 이러한 형성평가의 목적은 평가를 바탕으로 교수 프로그램을 [㉡]하는 것이라 할 수 있다. 한편, 형성평가의 구체적 방법은 다음과 같다. 첫째, [㉢](이)다. 전문 장학 활동을 통해 교수 프로그램에 관한 전문가의 코칭을 받는다. 둘째, [㉣](이)다. 진행하고자 하는 교수 프로그램을 일부 학생들을 대상으로 시범적으로 운영하고 피드백을 받는다.

Answer

193 ㉠ 교수목표(학습목표) ㉡ 교수분석 ㉢ 적성 / 학습 양식 / 지능 / 동기 / 태도

194 ㉠ 세분화 / 구체화 ㉡ 목표 유형 ㉢ 학습과제

195 ㉠ 구체적 (행동용어) ㉡ (성취)행동 / 기능 ㉢ 조건 ㉣ 판단 준거 / 기준

196 ㉠ 수업 전 활동 ㉡ 정보제시 활동 ㉢ 후속 과제

197 ㉠ 시범적 ㉡ 수정 / 개선 / 보완 ㉢ 일대일 평가 ㉣ 소집단 평가

198 | 다양한 교수설계모형

일반적 교수설계 모형에 대한 대안으로 제시되는 쾌속설계모형의 특징은 다음과 같다. 첫째, 교수설계의 일반적 단계를 순차적으로 거치기보다는 동시적·중첩적으로 거쳐 빠르게 [㉠]을(를) 설계한다. 둘째, 이후 학습자와 함께 테스트하며 피드백을 받아 설계를 수정·보완한다. 해당 모형에 따른 교수설계 방식의 장점은 다음과 같다. 첫째, 단계를 동시에 거치는 과정을 통해 상황 변화에 유연하게 대처 가능하고 교수설계의 [㉡]이(가) 높아진다. 둘째, 반복적 피드백을 통해 학습자의 요구를 반영하기 용이하여 교수설계의 [㉢]을(를) 확보할 수 있다.

199 | 다양한 교수설계모형

기존 교수설계모형을 비판하며 등장한 윌리스의 R2D2 모형의 특징은 다음과 같다. 첫째, [㉠] 과정을 강조한다. 설계와 개발·평가 등이 반복적으로 이루어지는 과정을 통해 설계과정을 지속적으로 개선하고자 한다. 둘째, [㉡] 사고를 강조한다. 학습자와 설계자는 학습과정을 성찰하고 끊임없이 목표와 설계방식을 조정한다. 이 모형에 따라 수업을 설계하는 경우 3가지 초점은 요구분석을 포함하는 [㉢], 원형을 개발하고 형성평가를 진행하는 설계와 개발, 최종 산출물을 보급하는 [㉣]이(가) 있다.

Answer

198 ㉠ 원형 / 프로토타입 ㉡ 효율성 ㉢ 민주성
199 ㉠ 순환적 ㉡ 반복적 ㉢ 정의 ㉣ 확산

Chapter 04 — 교수매체에 대한 이해

중요도 ○○○

200 ⟨ 교수매체의 이해

●○○

수업에서 교수매체를 활용했을 때 교육적 효과는 다음과 같다. 첫째, 인지적 측면에서 교과서 외 교육자료를 시·청각을 통해 접하게 함으로써 [㉠]을(를) 확대한다. 둘째, 정의적 측면에서 사진·영상 등이 포함된 매체를 통해 주의집중을 유도함으로써 [㉡]을(를) 유발한다. 한편, 수업에서 교수매체 활용 중 발생할 수 있는 문제점은 다음과 같다. 첫째, 매체를 통해 과도한 정보가 들어오는 경우 학생들은 [㉢]을(를) 경험할 수 있다. 둘째, 네트워크 환경 오류, 매체 자체의 오류 등이 유발되는 경우 수업이 [㉣]될 수 있다.

201 ⟨ 교수매체의 이해

교수매체의 효과성에 관한 연구로는 크게 비교연구와 속성연구를 들 수 있다. 이 중 교수매체 비교연구는 [㉠]을(를) 비교하는 연구이다. 이 연구방법은 매체 활용 수업이 [㉡]의 변화까지 수반하는 경우가 많아 수업의 효과가 매체만의 효과인지 명확하게 구분하기 어렵다는 한계를 지닌다. 한편, 교수매체 속성연구는 이러한 비교연구의 한계를 극복하고자 교수매체가 가진 [㉢]을(를) 연구하는 것이다. 이 연구방법은 매체 각각이 가지고 있는 고유의 속성 자체를 분석하기가 곤란하다는 한계를 지닌다.

Answer

200 ㉠ 인지 경험 ㉡ 학습동기 ㉢ 인지적 과부하 ㉣ 지연
201 ㉠ 전통적인 수업방식과 새로운 매체를 사용한 수업방식의 효과성 ㉡ 교수방법(수업방식) ㉢ 고유한 속성

202 교수매체의 이해

맥루한이 제시한 매체의 유형화 기준은 다음과 같다. 첫째, [　　㉠　　](이)다. 정확하고 구체적인 정보가 많고 적은지에 따라 매체를 유형화한다. 둘째, [　　㉡　　](이)다. 학습자가 매체를 주체적으로 활용하는 정도로 매체를 유형화한다. 이러한 기준에 따라 핫 매체와 쿨 매체로 구분되는데, 각 매체별 특징은 다음과 같다. 첫째, 핫 매체는 매체에 담긴 정보가 구체적이고 명확하여 수용자가 따로 상상하거나 빈 곳을 채울 필요 없이 정보를 [　　㉢　　](으)로 받아들이기만 하면 된다. 둘째, 쿨 매체는 정보가 흐릿하거나 생략되어 수용자가 [　　㉣　　](으)로 개입하고 부족한 정보를 메우기 위해 상상력을 발휘해야 한다.

203 교수매체의 이해

교수매체와 관련한 벌로의 SMCR 모형에 근거할 때 송·수신자가 주고받는 메시지에 영향을 주는 주관적 요인은 다음과 같다. 첫째, 교사의 [　　㉠　　](이)다. 교사의 어법, 대화법이 메시지의 내용에 영향을 미친다. 둘째, 교사의 [　　㉡　　](이)다. 학습내용에 관해 가지고 있는 교사의 전문지식에 따라 메시지가 변화한다. 한편 메시지에 포함된 세부 요인 중 A 교사의 계획에서 확인할 수 있는 요인은 다음과 같다. 첫째, 심정지 환자를 살리는 골든타임의 중요성은 가르칠 주제이므로 [　　㉢　　](이)라고 할 수 있다. 둘째, 현장 안전 확인 → 의식 확인 등으로 이어지는 절차는 학습의 [　　㉣　　](이)므로 구조라고 할 수 있다.

204 교수매체의 이해

쉐넌과 쉬람의 커뮤니케이션 모형에서 제시하는 경험의 장이란 개인이 살아오면서 축적한 [　　㉠　　]의 총합을 의미한다. 개인 간의 경험의 장에 일치하는 부분이 많으면 의사소통이 원활하게 이루어지는데, 이때 소음이 발생하면 의사소통을 방해할 수 있다. 수업에서 교사·학생 간 소통에 영향을 미치는 소음의 종류는 다음과 같다. 첫째, 외부 공사 소리, 다른 학생들의 소란 등 [　　㉡　　]이(가) 있다. 둘째, 잘못된 정보, 교수매체의 고장 등 내용과 방법상의 오류가 있다. 셋째, 교사의 편견, 오해 등 [　　㉢　　]이(가) 있다.

205 | 교수매체의 이해

최근 교수매체의 활용이 확대되면서 튜터로서의 교수매체를 넘어 튜티로서 교수매체가 강조되고 있다. 교사를 대체·보완하는 튜터로서의 교수매체는 다양한 시청각자료를 활용하여 학습내용을 전달함에 따라 학습자의 주의집중을 이끌고 [㉠   ]을(를) 유발한다는 장점이 있다. 그러나 여전히 교사 중심의 교육이 이루어져 학생들의 [㉡   ]을(를) 함양하는 데는 한계가 있다. 한편, 최근 강조되는 튜티로서 교수매체의 특징은 다음과 같다. 첫째, 매체에 학생들이 [㉢]할 수 있는 주제 또는 문제가 반영되어 있다. 둘째, 학습자에게 [㉣]이(가) 부여되어 있다.

03

206 | 교수매체의 선정　　●●○

하인니히가 제시한 ASSURE 모형에 근거할 때 목표진술 이후 단계별 명칭과 특징은 다음과 같다. 첫째, [㉠   ](이)다. 다양한 기준을 활용하여 목표달성에 적합한 매체와 자료를 선정한다. 둘째, 매체와 자료 활용이다. [㉡   ]하고 매체를 실제 수업에 활용한다. 셋째, [㉢   ](이)다. 매체 활용의 효과성을 높이기 위해 수업 중 학습자의 적극적 참여를 유도한다. 넷째, 평가와 수정이다. 학습자와 수업에 대한 평가를 통해 향후 매체활용 수업을 설계하는 데 기초 자료로 활용한다.

Answer

202 ㉠ 정보의 양 ㉡ 수용자의 참여도 ㉢ 수동적 ㉣ 능동적
203 ㉠ 통신 기술 ㉡ 지식 수준 ㉢ 내용 ㉣ 순서
204 ㉠ 경험, 지식, 가치관, 문화적 배경 ㉡ 물리적 소음 ㉢ 심리적 거리감
205 ㉠ 학습 동기 ㉡ 자기주도적 학습능력(자기주도성) ㉢ 탐구 ㉣ 통제권 / 자율권
206 ㉠ 매체와 자료 선정 ㉡ 수업 직전의 사항을 검토 ㉢ 학습자 참여 유도

207 ⟨ 교수매체의 선정 ●●●

ASSURE 모형에 근거할 때 교수매체를 선정하는 기준은 다음과 같다. 첫째, 타당성이다. 적합한 교육 효과를 발생시키기 위해 [㉠   ]와(과)의 부합성을 검토한다. 둘째, 확보 가능성이다. 교육 현장에서 매체를 구비할 수 있는지 [㉡   ] 등을 고려한다. 다음으로 자료를 선정하는 기준은 다음과 같다. 첫째, 자료의 [㉢   ](이)다. 정확한 내용 전달을 위해서 자료는 최신이어야 하며 틀린 내용이 없어야 한다. 둘째, 자료의 [㉣   ](이)다. 학습자의 학습 참여를 극대화하기 위해 자료는 학습자의 주의집중을 이끌 수 있어야 한다.

208 ⟨ 교수매체의 선정 ●●●

ASSURE 모형에 따를 때 매체 및 자료활용 단계는 매체를 활용하기 직전의 사항을 검토하고 이를 실제 수업에 적용하는 단계로, 학습경험 제공 외에 구체적 활동은 다음과 같다. 첫째, 매체와 자료의 [㉠   ](이)다. 영상자료를 활용하는 경우 영상 전후로 상업적·비윤리적 광고가 나오는지 검토한다. 둘째, [㉡   ](이)다. 매체활용 수업을 위해 책상 배치를 바꾸거나 필요한 스마트 기기를 설정한다. 다음으로 학습자의 참여를 유도하는 구체적인 방법으로는 다음과 같다. 첫째, [㉢   ]을(를) 제공한다. 교사는 학습자가 본래의 목적대로 매체를 활용하고 있는지 관찰하고 수정할 부분이 있으면 이를 알려주고 학습자가 스스로 행동을 교정하도록 한다. 둘째, [㉣   ]을(를) 제공한다. 매체를 활용하여 창작물을 만들게 하거나, 발표 기회를 제공하여 수업 참여도를 높인다.

Chapter 05 교수학습 실행

중요도 ○○○

209 〈 교사중심의 교수학습방법

교수자의 주도하에 일방적 설명을 통해 학습내용을 전달하는 강의식 수업의 장점은 다음과 같다. 첫째, 교사 변인 외에 수업에 영향을 미치는 변인을 최소화하여 교수자의 상황에 따라 전달 시간, 방법 등 학습과정을 [㉠]하게 조절할 수 있다. 둘째, 내용 전달에 초점을 두어 짧은 시간 동안 많은 지식을 [㉡](으)로 전달할 수 있다. 반면, 강의식 수업의 단점은 다음과 같다. 첫째, 교사의 설명 능력에 의존하기 때문에 교사의 역량에 따라 [㉢](이)가 크게 나타난다. 둘째, 교사중심의 일방적 학습내용 전달로 인해 [㉣]을(를) 높이기 곤란하다.

210 〈 교사중심의 교수학습방법

●○○

강의식 수업과 비교되는 문답식 수업의 장점은 다음과 같다. 첫째, 교사의 설명으로만 수업이 진행되는 강의식과 달리, 문답식 수업은 질문을 통해 적절한 긴장을 불러 일으켜 [㉠]을(를) 유도할 수 있다. 둘째, 전달된 지식의 이해·암기만을 강조하는 강의식과 달리, 문답식 수업은 학생의 사고력을 유발하는 질문을 통해 지식의 적용·평가 등 고차원적 사고능력을 함양할 수 있다. 한편, 학생에게 할 수 있는 질문의 유형과 기능은 다음과 같다. 첫째, 정해진 답을 물어보는 [㉡](이)다. 이는 학습내용을 잘 이해하고 파지했는지 확인하는 기능을 수행한다. 둘째, 정해지지 않은 답을 물어보는 개방형 질문이다. 이는 학습과 관련한 [㉢] 사고를 유발하는 기능을 수행한다.

Answer

209 ㉠ 유연 ㉡ 효율적 ㉢ 수업의 질적 차이 / 교육 격차 ㉣ 학습동기(흥미)
210 ㉠ 학습 참여 / 학습동기 ㉡ 제한형(폐쇄적) 질문 ㉢ 발산적 / 평가적

211 〈 교사중심의 교수학습방법　　●●●

A 교사는 학생에게 질문하는 수업방식을 주로 활용하는데, 이때 교사가 지켜야 할 원칙은 다음과 같다.
첫째, 경청의 원칙이다. 틀릴까봐 머뭇거리는 현상을 방지하기 위해 [　　ㄱ　　]을(를) 최소화하여
학습자의 대답을 존중한다. 둘째, 다양성의 원칙이다. 특정 학생만 답을 하는 경우를 피하기 위해
[　　ㄴ　　] 등을 통해 다양한 학생에게 질문한다. 한편, 교사가 학생에게 질문하는 수업 외에
활용할 수 있는 질문수업의 유형은 다음과 같다. 첫째, [　　ㄷ　　](이)다. 이는 학습자 간
생각을 공유하여 상호 이해도를 제고하는 기능을 수행한다. 둘째, 학습자가 교사에게 질문하는 수업
이다. 이는 학생의 [　　ㄹ　　]을(를) 확인하는 기능을 수행한다.

212 〈 학습자중심의 교수학습방법　　●○○

A 교사는 학습자 전원이 대등하게 참여하여 다양한 생각을 나누는 수업을 진행할 예정인데, 이러한 수업을
[　ㄱ　](이)라 한다. 이 수업은 학습자 전원에게 대등한 권한을 부여함으로써 수업 참여에 있어서
[　ㄴ　]의 가치를 추구할 수 있다는 장점이 있다. B 교사는 짧은 시간 동안 자신의 생각을 자유롭게
이야기하는 수업을 진행할 예정인데, 이러한 수업을 [　ㄷ　](이)라 한다. 이 수업은 자유로운
표현을 통해 [　ㄹ　] 사고가 촉진될 수 있다는 장점이 있다.

213 〈 학습자중심의 교수학습방법　　●●●

하나의 주제에 대해 학습자의 생각을 표현하고 의견을 공유하는 토의·토론식 수업을 통해 길러지는
학습자의 역량은 다음과 같다. 첫째, 토의·토론의 주제에 관한 다양한 지식을 모으고 자신의 것으로
만드는 과정을 통해 [　　ㄱ　　]을(를) 함양할 수 있다. 둘째, 주제에 관한 자신의 생각을 표현하고
타인과 상호작용하는 활동을 통해 [　　ㄴ　　]을(를) 함양할 수 있다. 토의·토론식 수업의 성공
조건은 다음과 같다. 첫째, 학습자들이 원활하게 수업에 참여하여 생각을 표현할 수 있도록 토의·토론
주제가 [　　ㄷ　　]에 부합해야 한다. 둘째, 토의·토론 과정에서 불필요한 갈등을 방지할 수
있도록 사전에 분명한 [　　ㄹ　　]이(가) 마련되어야 한다.

214 〈 학습자중심의 교수학습방법

과거의 단순 소집단 학습과 비교되는 현대의 협동학습 특징은 다음과 같다. 첫째, 물리적인 형태의 모임에 불과했던 과거의 소집단 학습과 달리, 현대의 협동학습은 집단 내 구성원의 수행이 다른 구성원에게 도움이 된다는 [㉠   ]을(를) 전제로 활동을 진행한다. 둘째, 개별 구성원의 성과가 개별 보상으로만 한정되었던 과거의 소집단 학습과 달리, 협동학습에서는 구성원의 수행이 전체 수행결과에 영향을 미치고 집단 보상으로까지 이어지는 [㉡   ]을(를) 전제로 한다. 셋째, 일부 우수한 학생들의 주도로만 활동이 진행되던 과거의 소집단 학습과 달리, 협동학습에서는 모든 구성원들에게 [㉢   ]을(를) 부여하여 수업에 참여하도록 한다.

215 〈 학습자중심의 교수학습방법　　　　　　　　　●○○

A 교사는 두 차례 쪽지시험의 결과를 비교하여 개인의 향상 점수를 측정하고 이를 집단 점수로 환산하여 보상하는데, 이러한 협동학습을 [㉠   ](이)라 한다. 이 수업은 향상 점수를 기반으로 집단 보상을 하므로 학업성취도가 낮은 학생들도 향상 점수를 통해 집단에 기여할 수 있도록 하여 [㉡   ]을(를) 확보할 수 있게 해준다는 장점이 있다. B 교사는 쪽지시험 대신 게임으로 팀 간 경쟁을 유도하는데, 이러한 협동학습을 [㉢   ](이)라 한다. 이 수업은 게임을 통해 [㉣   ]을(를) 완화하고 학습자들의 흥미를 유발할 수 있다는 장점이 있다.

216 〈 학습자중심의 교수학습방법　　　　　　　　　●●○

제시문과 같이 변형된 JIGSAW 모형의 장점은 다음과 같다. 첫째, 전문가 평가를 통해 전문가들의 [㉠   ]을(를) 확보하게 해준다. 둘째, 전체 학습내용을 정리하고 요약함으로써 학습내용에 대한 [㉡   ]을(를) 돕는다. 셋째, 개별 향상 점수를 팀 점수로 환산하여 보상함으로써 보상의 [㉢   ]을(를) 높인다.

Answer

211　㉠ 비판적 태도 ㉡ 무작위 선정 ㉢ 학습자 간 질문하는 수업 ㉣ 관심사 / 부족한 부분

212　㉠ 원탁토론 ㉡ 형평성 ㉢ 버즈토론 ㉣ 개방적 / 창의적 / 자율적

213　㉠ 지식정보처리 역량 ㉡ 협력적 소통 역량 ㉢ 학습자 수준 ㉣ 토의·토론 규칙

214　㉠ 개별 책무성 ㉡ 긍정적 상호의존성 ㉢ 동등한 성공기회

215　㉠ STAD 모형 ㉡ 개별 책무성 ㉢ TGT 모형 ㉣ 평가부담(스트레스)

216　㉠ 개별 책무성 ㉡ 파지 ㉢ 상호의존성

217 〈 학습자중심의 교수학습방법

자율적 협동학습 모형의 특징은 다음과 같다. 첫째, 팀은 여러 학습주제 중 하나를 선택하고, 이를 다시 세부 주제로 나눠 각 팀의 구성원들이 이를 [㉠]하면서 모둠 내 협동이 이루어진다. 둘째, 우리 팀이 알아낸 지식을 다른 팀 친구들에게 발표함으로써 학급 전체가 그 주제를 다 같이 알게 되어 [㉡] 협동이 이루어진다. 셋째, 경쟁은 없으며 [㉢] 등 다양한 평가방식을 활용한다.

218 〈 학습자중심의 교수학습방법

여러 학습자가 팀을 이뤄 학습하는 협동학습에서 발생할 수 있는 부정적 효과는 다음과 같다. 첫째, [㉠] 현상이 나타날 수 있다. 우수한 학습자가 학습활동을 독점하여 계속해서 높은 성취를 보이게 되고 이로 인해 학습격차가 심화될 수 있다. 둘째, [㉡] 효과가 나타날 수 있다. 별다른 노력 없이도 집단 구성원이 동일한 보상을 받는다면 학습에 소극적이게 된다. 셋째, [㉢] 효과가 나타날 수 있다. 우수한 학습자가 자신의 노력에 따른 결과가 집단에 공유되는 것에 불만을 가져 학습에 소극적으로 참여할 수 있다.

219 〈 학습자중심의 교수학습방법

켈러 플랜으로 알려진 켈러의 개별화 교수체제의 특징은 다음과 같다. 첫째, 단원을 세분화하여 출발 단계는 같게 하되, 학습자마다 다른 [㉠](으)로 학습한다. 둘째, 학습을 도와주는 [㉡]을(를) 활용한다. 셋째, [㉢]하는 경우에만 강의식 수업을 활용한다.

220 〈 **학습자중심의 교수학습방법** ●●○

자기주도학습이란 학습자 스스로가 학습의 참여 여부부터 목표 설정 및 교육 프로그램의 선정과 교육평가에 이르기까지 교육의 전 과정을 [㉠   ]을(를) 의미한다. 자기주도학습의 장점은 다음과 같다. 첫째, 학습자가 학습의 주도권을 보유하여 [㉡   ]을(를) 실천할 수 있다. 둘째, 학습자가 본인의 학습방법을 지속적으로 성찰하고 수정하면서 [㉢   ] 역량을 함양할 수 있다. 반면, 자기주도학습이 지나치게 자율성을 강조하는 경우 학습능력이 낮은 학생은 학습의 [㉣   ]을(를) 잃고 학습효과가 저하될 수 있다.

221 〈 **학습자중심의 교수학습방법** ●○○

문제 인식－가설 설정－검증－일반화 등 탐구과정을 강조하는 마시알라스의 탐구학습모형의 교육적 효과는 다음과 같다. 첫째, 탐구과정을 통해 [㉠   ]이(가) 발달할 수 있다. 둘째, 스스로 문제를 인식하고 검증하는 과정 등을 통해 [㉡   ]이(가) 함양될 수 있다. 한편, 제시문에 나타난 (가) 단계는 [㉢   ]의 단계로서 이전 단계에서 탐색한 증거를 바탕으로 가설의 타당성을 검증한다는 특징이 있다. 이때 교사의 역할은 학생과 함께 [㉣   ]을(를) 만들거나 이를 제공해주는 것이다.

222 〈 **학습자중심의 교수학습방법**

개념기반 탐구학습의 특징은 다음과 같다. 첫째, 교과 내 및 교과 간 전이가 가능한 [㉠   ] 학습에 초점을 둔다. 둘째, 교사와 학생 모두 적극적으로 [㉡   ]을(를) 쏟아내고 그에 대한 해답을 찾는다. 개념기반 탐구학습의 장점은 다음과 같다. 첫째, 핵심 아이디어 중심으로 수업을 설계하여 학습량을 적정화하고 학생의 [㉢   ]을(를) 줄인다. 둘째, 학생들이 질문과 해답을 찾는 과정을 통해 [㉣   ]을(를) 기를 수 있다.

Answer	
217	㉠ 분담 ㉡ 모둠 간 ㉢ 동료평가
218	㉠ 부익부 빈익빈 ㉡ 무임승차 ㉢ 봉
219	㉠ (학습) 속도 ㉡ 보조관리자 / 또래교사 / 우수한 동료학습자 ㉢ 동기유발 및 전이를 촉진
220	㉠ 자발적 의사에 따라 선택하고 결정하여 학습하는 형태 ㉡ 학습자 맞춤형 교육 ㉢ 자기관리 ㉣ 방향성
221	㉠ 탐구력 등 고등정신사고능력 ㉡ 지식정보처리 역량 ㉢ 가설 검증 ㉣ 검증 기준
222	㉠ 핵심 아이디어 ㉡ 질문 ㉢ 학습 부담 ㉣ 생각하는 힘(사고력)

Chapter 06 디지털 대전환시대 새로운 교수학습법

중요도 ○○○

223 정보통신기술의 발전과 교육적 활용 ●○○

컴퓨터를 통해 학습자를 가르치는 컴퓨터 보조학습의 장점은 다음과 같다. 첫째, 인지적 측면에서 컴퓨터를 통해 시청각 자료를 함께 제시하여 이중부호화에 따른 지식의 [㉠]을(를) 돕는다. 둘째, 정의적 측면에서 학습자들에게 친숙한 컴퓨터를 활용하여 [㉡]을(를) 유발한다. 한편, 이러한 학습의 구체적 유형은 다음과 같다. 첫째, [㉢](이)다. 이는 학습자의 수준별로 다른 학습 목표를 제시하고, 해당 목표를 달성하기 위한 학습 과제를 세분화하여 제시하는 방식을 의미한다. 둘째, [㉣](이)다. 이는 비용 등 현실적인 제약조건으로 직접적으로 경험하기 어려운 학습 내용을 경우, 컴퓨터를 통해 간접적으로 경험할 수 있는 기회를 제공하는 방식을 의미한다.

224 정보통신기술의 발전과 교육적 활용 ●●○

제시문에서처럼 온라인상의 학습자들이 직접 자료를 수정하고 공유하도록 하는 교수학습 방법을 [㉠](이)라 한다. 이 방법의 교육적 효과는 다음과 같다. 첫째, 학습자들이 직접 자료를 수정·공유하는 활동을 통해 [㉡]을(를) 발달시킬 수 있다. 둘째, 공동의 지식을 새롭게 창출하는 과정에서 [㉢] 역량을 함양할 수 있다.

225 정보통신기술의 발전과 교육적 활용 ●●●

디지털 정보를 읽고 분석하고 쓸 줄 아는 능력 및 소양인 디지털 리터러시의 세부 개념 요소는 다음과 같다. 첫째, 디지털 기기 활용, 인공지능 활용 등과 같은 디지털 [㉠] 역량이다. 둘째, 디지털 윤리, 디지털 정보 보호와 관련한 디지털 [㉡] 역량이다. 셋째, 디지털 콘텐츠의 생성과 관련한 디지털 [㉢] 역량이다. 디지털 리터러시는 정보가 폭증하는 시대에 필요한 정보를 가려내고 활용하기 위해 중요하다.

226 **정보통신기술의 발전과 교육적 활용**

학습관리시스템이란 교육의 전 과정을 계획·실행·관리·평가하는 데 사용되는 [㉠]
(이)다. 학습관리시스템의 교육적 기능은 다음과 같다. 첫째, 학습지·영상 등 교육자료를 [㉡]
하고 관리하여 교육자료의 품질을 개선하는 기능이다. 둘째, 학습자의 [㉢]을(를) 추적하고
데이터를 분석하여 학습자 맞춤형 정보를 제공하는 기능이다. 셋째, 온라인 게시판·화상회의를 통해
학습자 간 [㉣]을(를) 다양화하는 기능이다.

227 **정보통신기술의 발전과 교육적 활용**

AI 교육의 유형 3가지와 유형별 기능은 다음과 같다. 첫째, 교육목적 달성을 위해 AI 도구를 활용하는
[㉠](이)다. 이 교육은 학생들의 AI 도구 활용 역량을 함양하는 기능을 수행한다. 둘째,
AI의 역사·기능 등을 강의하는 [㉡](이)다. 이 교육은 AI에 관한 학생들의 기초소양을
함양하는 기능을 수행한다. 셋째, 저작권·AI 윤리에 대해 교육하는 [㉢](이)다. 이 교육은
도덕적·법적 지식을 바탕으로 올바르게 AI를 사용하는 역량을 함양하는 기능을 수행한다.

228 **정보통신기술의 발전과 교육적 활용**

A 교사는 생성형 AI를 활용한 수업을 계획하고 있는데, 이러한 수업의 교육적 효과는 다음과 같다.
첫째, 학생들이 다양한 정보를 수집하고 프롬프트문을 작성하는 과정에서 [㉠] 역량이
함양된다. 둘째, 상상만 했던 자료가 이미지·동영상 등으로 현출되는 과정을 통해 학생들의 주의집중을
이끌고 [㉡]을(를) 유발한다. 그러나 이러한 수업에서 발생할 수 있는 문제점은 다음과
같다. 첫째, 학생들이 AI를 맹신하고 [㉢]함에 따라 학생들의 창의성과 주체성이 훼손될 수
있다. 둘째, 친구의 동의 없이 사진을 합성하는 등 [㉣] 활용이 나타나 새로운 형태의 학교
폭력이 발생할 수 있다.

Answer

223 ㉠ 파지 ㉡ 학습 동기(흥미) ㉢ 개인교수형 ㉣ 시뮬레이션형
224 ㉠ 컴퓨터 지원 협력학습, 위키 기반 수업 ㉡ 행위주체성 ㉢ 창의적 사고
225 ㉠ 접근 ㉡ 평가 ㉢ 활용
226 ㉠ 통합 소프트웨어 플랫폼 ㉡ 업로드 ㉢ 진행도 / 참여도 ㉣ 상호작용
227 ㉠ AI 활용 교육 ㉡ AI 이해 교육 ㉢ AI 가치 교육
228 ㉠ 지식정보처리 ㉡ 학습 동기(흥미) ㉢ 과의존 ㉣ 비윤리적

교수자·학습자가 직접 대면하지 않고 매체 등을 통해 이루어지는 원격수업은 크게 3가지 유형으로
구분된다. 첫째, [㉠](이)다. 이는 화상매체를 활용하여 실시간으로 학생 간
상호작용을 활성화하는 기능을 수행한다. 둘째, [㉡](이)다. 이는 교사가 제작
하거나 녹화한 영상물, PPT 등을 통해 학습내용을 신속하게 전달하는 기능을 수행한다. 셋째,
[㉢](이)다. 이는 온라인상에 학생 수준별 맞춤형 과제를 제시하고 수행
여부를 확인하는 기능을 수행한다.

온라인에서 기본적인 내용을 수강하고 이후 오프라인에서 기본적 내용을 활용하는 활동중심의 수업
방식을 [㉠](이)라 한다. 이 수업방식의 장점은 다음과 같다, 첫째, 온라인으로
기본내용을 숙지하는 과정에서 학습자는 자신의 수준에 맞는 학습 속도 조절, 반복 수강이 가능해져
[㉡]이(가) 가능하다. 둘째, 교실 내 다양한 학습활동을 하면서
[㉢]을(를) 함양할 수 있다. 그러나 이 수업은 학습동기나 의욕이 낮은 학생은
사전학습을 듣지 않을 수 있어 본시 수업의 효과성이 크게 저하될 우려가 있다.

231 | 새로운 교수학습방법

버지가 분류한 온라인 학습환경에서 교사의 역할은 다음과 같다. 첫째, [㉠](이)다. 학습자가 학습목표를 성취할 수 있도록 학습과정에서 내용을 안내한다. 둘째, [㉡](이)다. 학습자 간 사회적 상호작용을 촉진하고, 학습공동체 내에서 친밀한 관계와 협력적 학습환경을 조성한다. 셋째, [㉢](이)다. 수업운영과 관련된 계획, 조직, 관리기능을 담당하면서 학습 일정, 과제 제출 기한, 평가 기준 등을 명확히 제시한다. 넷째, [㉣](이)다. 온라인 학습에 필요한 기술적 지원을 받을 수 있도록 돕고, 기술 도구와 자원을 효과적으로 활용할 수 있도록 안내한다.

232 | 새로운 교수학습방법

게이미피케이션 교육에 포함되어야 하는 게임적 요소는 다음과 같다. 첫째, 단순 놀이가 아니라 학습의 방향성을 분명하게 설정하기 위해 [㉠](이)가 포함되어야 한다. 둘째, 학습자의 행동을 강화하고 자신의 현재 상태를 실시간으로 파악하기 위해 [㉡](이)가 포함되어야 한다. 셋째, 성취에 대한 시각적 증표를 제시하기 위해 [㉢](이)가 포함되어야 한다.

233 **새로운 교수학습방법**

하브루타 수업이란 [＿＿＿＿＿＿＿ ㉠ ＿＿＿＿＿＿＿]을(를) 의미한다. 하브루타 수업의 장점은 다음과 같다. 첫째, 학습자 간 상호작용을 통해 혼자서는 학습할 수 없지만 도움을 통해 학습할 수 있는 [＿＿＿ ㉡ ＿＿＿]의 내용을 학습할 수 있다, 둘째, 자신의 입장과 다른 입장을 경청하고 토론하는 과정에서 2022 개정 교육과정의 비전에 반영된 [＿＿＿ ㉢ ＿＿＿]을(를) 함양할 수 있다.

234 **새로운 교수학습방법**　　●○○

역할놀이 수업모형의 특징은 다음과 같다. 첫째, 가상의 문제상황에서 학습자들은 개인별 [＿ ㉠ ＿]을(를) 수행하며 함께 문제를 해결해 나간다. 둘째, 하나의 역할이 끝나면 [＿＿＿ ㉡ ＿＿＿] 임무를 수행한다. 이러한 역할놀이 수업을 통해 길러지는 학습자의 역량은 다음과 같다. 첫째, 역할을 수행하며 다른 학생과 소통하는 과정에서 협력적 소통 역량이 함양된다. 둘째, 다양한 역할 수행을 통해 자기중심주의를 극복하여 [＿＿ ㉢ ＿＿] 역량이 함양된다.

235 〈 새로운 교수학습방법

제시문과 같이 한 수업에 여러 명의 교사가 협력해서 가르치는 방식을 [　　㉠　　](이)라 한다. 이 수업방식의 구체적 운영형태는 다음과 같다. 첫째, 주제수업과 관련하여 수업을 [　　㉡　　](으)로 나누고, 시간대별로 다른 교과교사가 들어가 해당 주제와 관련한 교과내용을 가르친다. 둘째, 학생들을 소집단으로 나누어 여러 교사가 집단별로 [　　㉢　　]하면서 학습활동을 관찰하고 피드백 해준다.

Answer

233 ㉠ 학생들끼리 짝을 이루어 서로 질문을 주고받으며 논쟁하는 토론 교육 ㉡ 근접발달영역 ㉢ 포용성
234 ㉠ 역할 ㉡ 다른 학생과 역할을 바꿔 ㉢ 공동체
235 ㉠ 팀 티칭 ㉡ 전반부와 후반부 ㉢ 순회

최원휘 SELF 교육학
핵심개념 456

모범답안 & 빈칸암기노트

최원휘 SELF 교육학
핵심개념 456
모범답안 & 빈칸암기노트

IV

교육평가 및 교육연구방법론

Chapter 01 교육평가의 이해

중요도 ○○○

---

236 〈 교육평가의 기초

지문에서는 학습의 결과를 양적으로 수치화하는 것을 강조하는데, 이와 관련한 관점을 [㉠] (이)라 한다. 이 관점에 근거한 평가방법은 학생들의 성취 수준을 수치화하여 [㉡] 을(를) 객관적으로 알 수 있다는 장점이 있지만, 수치화하기 곤란한 [㉢] 와(과) 관련한 부분은 평가하기 곤란하다는 단점이 있다.

---

237 〈 교육평가의 기초

스티븐스가 분류한 척도의 종류는 다음과 같다. 첫째, [㉠] (이)다. 이는 사물을 구분하기 위하여 대상에 숫자를 임의로 부여한 척도를 의미한다. 둘째, [㉡] (이)다. 이는 순서·순위와 같은 상대적 중요성을 나타내는 척도를 의미한다. 셋째, [㉢] (이)다. 이는 일정한 간격을 가지는 척도로서 절대영점이 없는 척도를 의미한다. 넷째, [㉣] (이)다. 이는 길이, 무게, 시간과 같이 절대영점을 가지고 있는 척도를 의미한다.

---

238 〈 교육평가의 기초

●○○

학습자의 자아실현을 목적으로 학습자를 종합·전체적으로 평가할 것을 강조하는 총평관에 근거한 평가의 특징은 다음과 같다. 첫째, 평가내용의 측면에서 학습자의 목표달성 정도뿐 아니라 정의적 영역을 포함한 [㉠] 도 평가한다. 둘째, 평가방법의 측면에서 학습 전반에서의 종합적인 성장을 평가해야 하므로 [㉡] 을(를) 실시한다. 반면, 평가관이란 수량적 결과와 비수량적 결과를 모두 종합하여 평가자가 [㉢] 하는 관점을 의미한다. 이러한 평가관에서는 교육을 통한 인간 행동의 [㉣] 을(를) 전제로 한다.

239 〈 교육평가의 기초

교사의 교육관에 따라 교육평가 방법이 달라진다. A 교사는 우수한 학생을 선발하는 것을 강조하는데, 이러한 교육관을 [　　　㉠　　　](이)라 한다. 이러한 교육관에 부합하는 평가로는 [　　　㉡　　　]을(를) 들 수 있는데, 이는 학생 간 경쟁을 바탕으로 학생들의 외재적 동기를 높일 수 있다는 장점이 있다. 반면, B 교사는 교육을 통해 누구나 목표를 달성할 수 있다고 보는데, 이러한 교육관을 [　　　㉢　　　](이)라 한다. 이러한 교육관에 부합하는 평가로는 준거참조평가를 들 수 있는데, 이는 학생 간 경쟁에 따른 [　　　㉣　　　]을(를) 줄인다는 장점이 있다.

240 〈 교육평가의 기초

●●●

얼이 분류한 평가 유형의 유형별 목적은 다음과 같다. 첫째, 학습에 대한 평가는 특정 시점의 학습결과를 평가하여 [　　　㉠　　　] 등의 판단을 위한 정보를 제공하는 데 목적이 있다. 둘째, 학습을 위한 평가는 교사의 [　　　㉡　　　]을(를) 위한 정보를 제공하는 데 목적이 있다. 셋째, 학습으로서의 평가는 학생의 [　　　㉢　　　]을(를) 위한 정보 제공을 통해 평가 그 자체가 학습으로서 효과를 갖게 하는 데 목적이 있다.

241 교육평가의 운영

2022 개정 교육과정 총론에 언급된 교육평가 운영 시 지켜야 할 원칙은 다음과 같다. 첫째, 일관성의 원칙이다. [　　　㉠　　　]에 근거하여 평가를 실시하고, 가르친 것 외에는 평가하지 않는다. 둘째, [　　㉡　　](이)다. 학습의 결과뿐 아니라 학습자의 성장과정을 종합적으로 평가한다. 셋째, [　　㉢　　](이)다. 평가 시 학생의 인지적 역량과 정의적 역량을 균형 있게 고려하여 평가한다.

242 교육평가의 운영 ●○○

A 교사는 가창시험에서 우수한 성적을 거둔 준현이가 음악감상문 작성도 잘 했을 것이라 평가하였는데, 이처럼 두 평정요소 간에 논리적 상관관계가 없음에도 있다고 판단하는 오류를 [　　　㉠　　　](이)라고 한다. 이러한 오류를 방지하기 위해 둘 이상의 평가 시 평가 간 [　　㉡　　]을(를) 두는 방안을 제시할 수 있다. B 교사는 평소에 성실한 영수가 수필 쓰기 시험도 잘 했을 것이라 평가하였는데, 이처럼 피평가자의 [　　　　　㉢　　　　　]이(가) 평가에 영향을 미치는 오류를 인상의 오류라고 한다. 이러한 오류를 방지하기 위한 방안으로 피평가자의 이름이나 신상정보를 가리고 평가하는 [　　　㉣　　　]을(를) 들 수 있다.

Answer

241 ㉠ 성취기준 ㉡ 과정중심의 원칙 ㉢ 균형의 원칙
242 ㉠ 논리적 오류 ㉡ 적절한 시간 간격 ㉢ 전반적 인상, 품성, 배경에 대한 선입견 ㉣ 블라인드 평가

Chapter 02 교육평가의 유형

중요도 ○○○

243 기본적인 분류

평가는 기본적으로 양적 평가와 질적 평가로 구분되는데, 양적 평가란 평가대상을 [㉠]하는 평가를 의미하고, 질적 평가란 평가대상을 이해·분석·판단하는 평가를 의미한다. 학교에서 질적 평가가 필요한 이유는 다음과 같다. 첫째, 수치화하기 곤란한 학습자의 [㉡] 영역을 정확히 이해할 수 있다. 둘째, 학생의 [㉢]을(를) 확인할 수 있어 교육의 본질적 목적에 부합한다.

244 진행과정에 따른 분류 ●●○

학습이 시작되기 전에 학습자를 평가하는 진단평가의 목적은 학습자의 특성을 이해함으로써 [㉠]을(를) 위한 교수학습 전략을 마련하는 데 있다. 이러한 진단평가의 내용으로는 학습자의 [㉡], 동기 등이 있다. 한편, 진단평가에는 인지 진단평가가 있는데, 그 특징은 다음과 같다. 첫째, 학습자의 인지적 능력을 [㉢]하여 평가한다. 둘째, 학생들이 인지 과정에서 보여주는 [㉣] 파악에 초점을 둔다.

245 진행과정에 따른 분류 ●●●

평가를 실시 시기에 따라 분류할 때, 제시문처럼 교수학습 진행 중에 실시하는 평가를 [㉠] (이)라 한다. 이 평가방식을 수업에서 적용하는 방법은 다음과 같다. 첫째, 사전에 치밀하게 계획된 형식적 평가로서 사전에 준비된 [㉡]이(가) 있다. 둘째, 자연스러운 수업과정에서 실시되는 비형식적 평가로서 수업 중 이루어지는 [㉢]이(가) 있다.

Answer

243 ㉠ 수치화 ㉡ 정의적 ㉢ (종합적) 성장과정
244 ㉠ 학습자 맞춤형 교육 ㉡ 선수학습 수준 ㉢ 세분화 / 위계화 ㉣ 오개념
245 ㉠ 형성평가 ㉡ 쪽지시험(퀴즈) ㉢ 관찰

246 〉 진행과정에 따른 분류

해티와 팀펄리에 따를 때 좋은 피드백의 3요소는 학습목표인 피드업, 현재수준인 피드백, 발전방향인
[㉠   ](이)가 있다. 제시문의 A 교사는 어색한 부분을 학생 스스로 발견하도록 피드백을 주고
있는데, 이러한 피드백 유형을 [㉡   ](이)라고 한다. 이러한 피드백의 교육적 효과는
다음과 같다. 첫째, 인지적 측면에서 스스로 계획·점검·조절·평가하는 과정을 통해 [㉢   ]
능력이 발현된다. 둘째, 정의적 측면에서 학습의 자율성을 발휘할 수 있으므로 [㉣   ] 동기가
높아진다.

247 〉 참조준거에 따른 분류

규준참조평가란 학습자 간 경쟁을 통해 학습자의 집단 내 [㉠   ]을(를) 확인하는 평가를
의미한다. 규준참조평가가 학습자에게 미치는 긍정적 영향으로 학습자 간 경쟁을 통해 [㉡   ]
동기를 유발할 수 있다는 점을 들 수 있다. 그러나 부정적 영향은 다음과 같다. 첫째, 과도한 경쟁으로
학습자에게 [㉢   ]을(를) 유발할 수 있다. 둘째, 동료 학습자를 경쟁의 상대로만 인식하게 해
[㉣   ]을(를) 곤란하게 만들어 협동의식과 포용성을 함양하기 어렵게 한다.

248 〉 참조준거에 따른 분류

학습자 간 경쟁을 배제하고 개별 목표달성 정도를 확인하는 준거참조평가는 다음의 장점을 지닌다.
첫째, 목표 수준과 비교한 학습자의 달성 정도를 직접적으로 알 수 있어 추후 학습의 [㉠   ]을
(를) 정하는 데 용이하다. 둘째, 학습자 간 경쟁을 배제하여 학습자끼리 [㉡   ]이(가) 가능해진다.
그러나 다음과 같은 단점이 있다. 첫째, 준거 설정 자체가 주관적 판단에 근거한 경우가 많아 공신력
있는 [㉢   ]을(를) 설정하기 곤란하다. 둘째, 경쟁이 없어 학습자들의 외재적 동기를 유발하는
데 한계가 있다.

249 〈 참조준거에 따른 분류

A 교사는 동료교사인 B, C 교사와 함께 턱걸이로 합격할 학생의 정답 예측치를 기준으로 통과점수를 설정하였는데, 이처럼 평가자의 주관에 근거한 준거점수 설정방법을 [㉠   ](이)라 한다. 이 방법의 장점은 다음과 같다. 첫째, 복잡한 수식보다는 평가자의 예측을 기반으로 이루어져 [㉡   ](으)로 준거점수를 설정할 수 있다. 둘째, 최소능력자의 정답 확률만 예측하면 되므로 선다형·주관식·논술형 등 다양한 유형의 문항에 일반화하기 용이하다. 반면, 이 설정방법은 평가자의 주관이 개입되어 [㉢   ]이(가) 떨어진다는 단점을 가진다.

250 〈 참조준거에 따른 분류

A 교사는 학생의 실력 대비 성취 수준에 따라 학습자를 평가했는데, 이러한 평가유형을 [㉠   ](이)라 한다. 이 평가방식은 현재 능력이 낮은 학생도 성과에 따라 좋은 평가를 받을 수 있다는 희망을 주어 [㉡   ]을(를) 유발한다는 의의가 있지만, 현재의 능력에 대한 판단에 평가자의 주관이 개입되어 평가의 [㉢   ](이)가 떨어질 수 있다는 한계를 가진다.

251 〈 참조준거에 따른 분류

개인참조평가로서 성장참조평가란 학습자가 [㉠   ]에 대한 평가를 의미한다. 성장참조평가는 연속된 시점에서 성취 수준의 향상 정도를 평가함으로써 성적이 낮은 학생도 노력하면 좋은 평가를 받을 수 있어 [㉡   ]을(를) 유발할 수 있다는 장점이 있다. 한편, 노력참조평가란 점수와 상관 없이 학생이 기울인 [㉢   ]에 대한 평가를 의미한다. 노력참조평가는 결과보다는 노력 그 자체에 의미를 부여하여 [㉣   ]의 발달을 도울 수 있다는 장점이 있다.

Answer

246 ㉠ 피드포워드 ㉡ 자기조절수준 피드백 ㉢ 메타인지 ㉣ 내재적
247 ㉠ 상대적 위치 ㉡ 외재적 ㉢ 스트레스(부담) ㉣ 협동학습
248 ㉠ 방향 / 전략 ㉡ 협동학습 ㉢ 최저기준(준거)
249 ㉠ 앵고프 방법 ㉡ 효율적 ㉢ 객관성 / 일관성
250 ㉠ 능력참조평가 ㉡ 학습 동기 ㉢ 신뢰도
251 ㉠ 초기 능력수준에 비하여 얼마만큼의 능력 향상을 보였는지 ㉡ 학습 동기 ㉢ 노력의 정도 ㉣ 정의적 영역

 평가영역에 따른 유형 ●●○

학습자의 정의적 영역에 대한 평가가 필요한 이유는 다음과 같다. 첫째, 학교는 전인교육의 장이므로 학생의 [㉠]을(를) 도울 교수학습 전략을 마련하기 위해 필요하다. 둘째, 미래에 필요한 역량 중 [㉡] 역량은 정의적 영역과 관련한 부분이므로 이러한 역량을 갖췄는지 여부를 평가하기 위해 필요하다. 정의적 영역의 평가대상으로는 첫째, [㉢]의 정도, 둘째, 수업 중 학습자의 [㉣]을(를) 들 수 있다.

 기타 평가 유형 ●●●

학습자 스스로가 학습 정도를 평가하여 주체가 되는 평가방법은 다음과 같다. 첫째, [㉠] (이)다. 학습 후 자신의 학습에 관한 보고서를 작성하거나 스스로 체크리스트를 작성한다. 둘째, [㉡](이)다. 집단 내에서 동료 학습자가 얼마나 기여했는지, 타 집단의 자료가 얼마나 목표에 부합하는지 평가한다. 이러한 평가의 교육적 효과는 다음과 같다. 첫째, 스스로 평가하는 과정에서 학습의 가치를 알게 되고 학습의 지속성을 강화하는 [㉢] 동기가 유발된다. 둘째, 경쟁에서 이기기 위한 평가가 아니라 서로의 학습 정도를 평가하므로 학습자 간 [㉣]이(가) 높아진다.

 기타 평가 유형 ●●○

학생이 주체가 되는 평가 시 발생 가능한 문제점은 다음과 같다. 첫째, 명확한 기준에 근거하지 않고 자신의 주관에 따라 평가가 이루어져 평가의 [㉠](이)가 낮아질 수 있다. 둘째, 평가에 대한 학생들의 이해도가 충분치 않아 평가 중 학생들이 활동과 상관없는 평가를 하거나 장난식으로 흘러갈 수 있다. 이러한 문제점을 예방하기 위한 실천방안은 다음과 같다. 첫째, 평가 준비 시 학생들과 함께 채점기준인 [㉡]을(를) 만들고 이에 대한 설명서를 제작하여 사전 교육을 실시한다. 둘째, 평가 실행 시 평가의 목적과 기준에 맞게 평가가 진행되는지 평가과정을 지속적으로 [㉢]한다.

255 기타 평가 유형

역동적 평가란 평가자와 피평가자 간의 역동적 상호작용을 통해 피평가자의 [　　⑦　　]을(를) 확인하기 위한 평가를 의미한다. 역동적 평가는 단지 결과중심의 성취 수준만 확인하는 것이 아니라, 평가를 통해서 발달잠재력을 자극할 수 있어 평가의 [　　⑥　　] 기능을 강화할 수 있다는 의의를 지닌다. 역동적 평가의 유형은 다음과 같다. 첫째, [　　⑥　　](이)다. 이는 사전·사후검사 사이에 교사가 교수하는 형태를 의미한다. 둘째, [　　⑧　　](이)다. 이는 학습자가 각 문항을 어떻게 해결하는가에 따라 즉각적으로 피드백하는 형태를 의미한다.

256 기타 평가 유형

메타평가란 평가의 질적 수준 향상을 위하여 실시하는 [　　⑦　　]을(를) 의미한다. 이러한 메타평가의 종류는 다음과 같다. 첫째, 진단적 메타평가이다. 이는 [　　⑥　　]의 적절성을 평가하는 것이다. 둘째, [　　⑥　　](이)다. 이는 평가를 계획·수행·해석·보고하는 평가자의 활동에 대한 평가와 피드백을 의미한다. 셋째, 총괄적 메타평가이다. 이는 평가 이후 평가의 [　　⑧　　]을 (를) 판단하고 평가 개선을 위한 정보 제공을 위해 실시하는 평가이다.

Chapter 03 교육평가의 선정과 활용

중요도 ○○○

257 문항 제작

학습자를 평가할 문항을 제작하기 전 교사의 준비사항은 다음과 같다. 첫째, 평가내용과 범위를 결정한다. 이때 정규 교육과정에 근거하여 교사가 ［　　⑦　　］만 포함한다. 둘째, ［　　ⓒ　　］을(를) 파악한다. 진단평가, 상담 등의 내용을 종합하여 적당한 수준의 문항을 제작한다. 셋째, ［　　ⓒ　　］을(를) 구체화한다. 평가의 이유가 학습자 진단인지, 목표도달 정도 확인인지, 상대적 위치 확인인지 그 목적을 분명히 한다.

258 문항 제작

●○○

학교에서 문항을 제작할 때 지켜야 하는 원칙은 다음과 같다. 첫째, 타당성의 원칙이다. 문항의 내용은 평가의 ［　⑦　］와(과) 일치해야 한다. 둘째, ［　　ⓒ　　］의 원칙이다. 시험 스트레스의 최소화를 위해 학습자 수준에 맞는 난이도로 문항을 제작해야 한다. 셋째, ［　　ⓒ　　］의 원칙이다. 논란의 여지를 줄이기 위해 단어 및 서술어 선택 등이 정확하고 구체적이어야 한다.

259 문항 제작

●○○

그론룬드가 제시한 좋은 문항 제작에 장애가 되는 요인은 다음과 같다. 첫째, 필요 이상으로 ［　　⑦　　］이(가) 포함되면 학생들이 문항 자체를 이해하지 못한다. 둘째, 문항에 포함된 그림이 ［　　ⓒ　　］하면 텍스트에 의존해서만 문제를 풀 수밖에 없다. 셋째, 인종과 성별의 ［　　ⓒ　　］이(가) 있으면 평가 중 잠재적 교육과정이 발현되어 의도하지 않은 부정적 효과가 유발될 수 있다.

260〈 **문항 제작** ●●●

이원목적분류표란 [　　　　　　　　　　㉠　　　　　　　　　　]을(를) 의미하는 것으로, 측정하고자 하는 내용인 내용소와 측정하려는 인지능력 수준인 [　㉡　] (으)로 구성된다. 학생 평가 시 이원목적분류표 작성의 긍정적 효과는 다음과 같다. 첫째, 평가문항의 내용을 확인함으로써 가르친 내용 안에서 출제했는지 확인할 수 있어 평가의 양호도 중 [　㉢　]을(를) 확보하게 해준다. 둘째, 인지능력 수준별로 문항을 분석할 수 있어 평가의 [　㉣　]을(를) 적정화할 수 있다.

261〈 **문항 제작**

선다형 문항을 통한 평가의 장점은 다음과 같다. 첫째, 문항에 폭넓은 내용을 반영할 수 있어 다양한 내용에 대한 숙지 여부를 평가할 수 있다. 둘째, 명확한 정·오답을 근거로 평가하므로 평가의 양호도 중 [　㉠　]이(가) 높다. 반면 단점은 다음과 같다. 첫째, 학생을 변별하기 위해 매력적인 오답을 제작하는 것에 [　㉡　]이(가) 소요된다. 둘째, [　㉢　]에 의한 정답을 배제할 수 없어 학생의 능력을 정확히 평가하지 못할 수 있다.

262〈 **문항 분석**

고전검사이론은 문항과 검사의 질을 검사 총점에 따라 분석한다. 이 이론에서의 문항난이도란 문항의 쉽고 어려운 정도로서 전체 피험자 중 [　　　　　㉠　　　　　]의 비율로 나타낸다. 또한, 이 이론에서 언급하는 문항변별도란 [　　　　　㉡　　　　　]을(를) 나타낸다. 고전검사 이론의 단점은 다음과 같다. 첫째, 피험자의 [　㉢　]에 따라 문항의 정답률이 달라져 문항의 특성이 달리 분석된다. 둘째, 객관식·주관식 등 문항의 특성에 따라서도 정답률 등이 변화해 피험자 능력이 달리 추정된다.

Answer

257 ㉠ 가르친 내용 ㉡ 학습자 수준 ㉢ 평가 목적
258 ㉠ 목적 ㉡ 적절성 ㉢ 명확성
259 ㉠ 어려운 단어(문장) ㉡ 불분명 ㉢ 편파성
260 ㉠ 어떤 내용을 어느 정신능력 수준까지 측정할 것인가를 나타낸 표 ㉡ 행동소 ㉢ 내용타당도 ㉣ 난이도
261 ㉠ 신뢰도(객관도) ㉡ 많은 시간(노력) ㉢ 추측(찍기)
262 ㉠ 답을 맞힌 피험자 ㉡ 피험자의 수준을 변별하는 정도 ㉢ 능력(수준)

263 〈 문항 분석

문항반응이론은 고전검사이론과 달리 문항 하나하나에 근거하여 문항을 분석하고 피험자의 능력을 추정한다. 이 이론에 따를 때 문항난이도는 문항특성곡선을 나타낸 그래프에서 정답률을 나타내는 y축의 값이 [㉠   ]일 때 x축에 해당하는 능력의 값이라 할 수 있다. 예를 들어, 1번 문항의 경우 y축이 0.5일 때 x축은 −1에 해당하여 비교적 [㉡   ] 난이도의 문항이라고 추정할 수 있다. 다음으로 문항변별도는 문항이 피험자의 능력 수준을 변별하는 정도를 의미하는데, y축이 0.5일 때 문항특성곡선의 [㉢   ](으)로 추정할 수 있다. 예를 들어 3번 문항과 같이 y축이 0.5일 때 기울기가 큰 경우 변별도가 [㉣   ](라)고 추정할 수 있다. 마지막으로 문항추측도는 능력이 전혀 없는 학생이 답을 맞힐 확률을 의미하는데, 능력이 제일 낮을 때 y축의 값으로 문항추측도를 추정할 수 있다. 예를 들어 1번 문항의 경우 문항의 추측도는 약 0.05로 추정할 수 있다.

264 〈 검사점수 보고와 해석

규준에 비추어 피험자의 원점수에 대한 상대 서열을 파악하는 점수로 Z점수와 T점수를 활용할 수 있다. Z점수는 원점수에서 평균점수를 [㉠   ]을 [㉡   ](으)로 나누어 계산할 수 있는데, 제시문의 상황에서 원점수는 70, 평균은 60, 표준편차는 10이므로 Z점수는 [㉢   ]이(가) 된다. T점수는 평균을 50, 표준편차를 10으로 설정하여 계산하는데, 제시문에서는 [㉣   ](으)로 계산된다. 따라서 T점수는 60이 된다.

265 〈 검사의 양호도 분석   ●●○

검사목적에 대한 적합성을 나타내는 타당도 중 내용타당도란 검사가 [㉠   ] 을(를) 판단하는 주관적 타당도를 의미한다. 내용타당도의 종류는 다음과 같다. 첫째, [㉡   ] (이)다. 이는 검사가 교수학습 중에 가르치고 배운 내용을 얼마나 잘 포함하는가와 관련된다. 둘째, [㉢   ](이)다. 이는 검사가 교육과정 내용을 얼마나 잘 포함하는가와 관련된다. 이러한 내용타당도를 확보하기 위해 측정하고자 하는 내용적 속성을 반영한 [㉣   ]을(를) 문항 제작 시 작성한다.

266 〈 검사의 양호도 분석

구인타당도란 [　　　　　　　　　　　　⊙　　　　　　　　　　　　]와(과)
관련한 타당도이다. 구인타당도는 가시적이지 않은 정의적 영역 중 평가하고자 하는 것을 정확하게
측정하고 평가결과를 [　　ⓒ　　]하기 위해 확보될 필요가 있다. 구인타당도를 높이기 위해서는 어떤
것을 심리적 구인으로 분석하는 것이 중요한데, 이때 구체적인 방법으로는 문항에 있는 요인을 상세화
하고 의미를 부여하는 [　　　ⓒ　　　]을(를) 들 수 있다.

267 〈 검사의 양호도 분석

A 교사는 기존에 타당도가 검증된 테스트와 자신이 만든 새로운 테스트를 비교하여 타당도를 확인하고자
하는데, 여기서 검증하고자 하는 타당도를 [　　　⊙　　　](이)라고 한다. 이때 타당도를 검증하는
기준은 기존에 타당도가 검증된 테스트를 통해 나온 결과와 새로운 테스트를 통해 나온 결과의
[　　ⓒ　　] 정도를 기준으로 한다. 이러한 기준을 활용하면 이미 검증된 테스트와의 수치적 비교를
통해 비교적 쉽게 타당도를 검증할 수 있다는 장점이 있지만, [　　　　　　ⓒ　　　　　　]
경우 실시가 불가하다는 단점이 있다.

268 〈 검사의 양호도 분석

예측타당도란 [　　　　　　　　　　　⊙　　　　　　　　　　　]와(과) 관련한
타당도이다. 예측타당도로 타당성을 판단할 때 예측타당도가 높은 평가는 [　　ⓒ　　] 등의 목적으로
검사를 사용할 때 용이하다는 의의를 지니지만, 타당성 검증을 위해 비교적 [　　ⓒ　　]이(가) 소요
되어 비효율적이라는 한계를 지닌다.

Answer

263 ⊙ 0.5 ⓒ 쉬운 ⓒ 기울기 ⓔ 높다
264 ⊙ 뺀 값 ⓒ 표준편차 ⓒ 1 ⓔ 50 + 10Z
265 ⊙ 측정하고자 하는 속성을 제대로 측정하였는지 ⓒ 교수타당도 ⓒ 교과타당도 ⓔ 이원목적 분류표
266 ⊙ 조작적으로 정의되지 않은 인간의 심리적 특성을 세부 구성요인으로 분석하고, 검사가 구인을 제대로 측정하였는가 ⓒ 일반화 ⓒ 요인
분석법
267 ⊙ 공인타당도 ⓒ 정합성 / 일관성 / 상관관계 ⓒ 기존에 검증된 검사가 없는
268 ⊙ 실시한 검사가 미래의 행동이나 수행을 어느 정도 예측하는가 ⓒ 선발 / 채용 / 배치 ⓒ 오랜 시간

269 〈 검사의 양호도 분석 ●●●

결과타당도란 검사가 의도한 결과와 의도하지 않은 결과를 얼마나 초래했는지를 확인하고 이에 대해
[　　ㄱ　　]하는 것과 관련한 타당도를 의미한다. 현재 학교에서 운영되는 수행평가의 결과타당도가
낮다고 평가받는 이유는 다음과 같다. 첫째, 수행평가를 특정 시기에 집중해서 실시하여 학생들의
[　　ㄴ　　]이(가) 유발되었기 때문이다. 둘째, 수행평가 중 평가자의 주관이 개입되는 경우가 있어
평가의 [　　ㄷ　　]에 대한 의심이 커졌기 때문이다. 셋째, 수행평가 결과가 학생부종합전형 등
대입에 직접적 영향을 미치게 되어 수행평가에 대비하기 위한 [　　ㄹ　　]이(가) 증가했기 때문이다.

270 〈 검사의 양호도 분석 ●○○

신뢰도가 높은 평가는 평가결과가 안정적으로 [　　ㄱ　　] 있게 산출된다는 특징을 지닌다. 평가의
신뢰도를 측정하기 위해 A 교사는 동일한 검사를 동일한 피험자 집단에 두 번 실시했는데, 이러한 방법을
통해 추정한 신뢰도를 [　　ㄴ　　](이)라고 한다. 이러한 방식은 검사 도구를 한 번만 제작하면
되므로 [　　ㄷ　　](이)라는 장점이 있지만, 검사 간 시간 간격이 너무 짧은 경우 피험자의
[　　ㄹ　　]이(가) 검사결과에 반영되어 신뢰도가 왜곡될 수 있다는 단점이 있다.

271 〈 검사의 양호도 분석 ●●○

동형검사를 통해 신뢰도를 추정하는 경우 동형검사의 조건은 다음과 같다. 첫째, [　　ㄱ　　]이(가)
동일해야 한다. 하나의 검사가 객관식 문항으로 구성되어 있으면 다른 검사도 객관식 문항으로
구성되어야 한다. 둘째, [　　ㄴ　　]이(가) 유사해야 한다. 검사의 평균 점수, 선택지별 선택률 등이
유사해야 한다. 이러한 추정방식은 검사에 시간 간격을 두지 않아 피험자의 [　　ㄷ　　]을(를) 배제
할 수 있다는 장점이 있지만, 다양한 조건이 충족된 동형검사의 제작이 [　　ㄹ　　](라)는 단점이
있다.

272〈 검사의 양호도 분석

신뢰도를 지문과 같이 관찰점수와 오차점수의 분산으로 구할 때 신뢰도에 영향을 미치는 요인은 다음과 같다. 첫째, 문항 수이다. 문항의 수를 늘리면 측정의 표본이 늘어나 무선적인 오차들은 상쇄되어 줄어드는 반면, 진짜 실력은 누적되어 　⊙　의 분산이 커져 신뢰도가 높아진다. 둘째, 문항의 난이도이다. 문항의 난이도가 　ⓒ　하면 문항을 맞히는 학생과 틀리는 학생이 골고루 섞여 관찰점수의 분산이 높아지기 때문에 신뢰도가 높아진다. 셋째, 시간이다. 검사 시간이 충분하면 추측에 의한 정답이 줄어들어 　ⓒ　의 분산이 줄어들기 때문에 신뢰도가 높아진다. 넷째, 피평가자의 수이다. 특히 　ⓔ　 피평가자의 수가 늘어나 점수 분포가 넓어져 관찰점수의 분산이 커지기 때문에 신뢰도가 높아진다.

273〈 검사의 양호도 분석　　　　　　　　　　　　　　　●●●○

검사의 양호도로서 객관도란 채점자가 얼마나 　⊙　을(를) 배제하고 일관성을 유지하며 평가하였는가를 의미하는 것이다. 이는 동일한 채점자가 동일한 대상을 두 번 이상 평가하여 평가결과 간 일관성이 있는지 여부를 판단하는 　ⓒ　, 두 명 이상의 채점자가 동일한 대상을 평가하여 평가 결과 간 일관성이 있는지 여부를 판단하는 　ⓒ　으(로) 구분된다. 객관도를 확보하기 위한 방안으로는 채점 기준인 　ⓔ　을(를) 명확하게 작성하고 그에 따라 평가하여 채점자 변동에 상관없이 일정한 평가가 나오도록 한다.

274〈 검사의 양호도 분석

검사의 양호도로서 실용도란 검사의 실시가 　⊙　을(를) 의미한다. 이때 실용도의 판단 기준은 다음과 같다. 첫째, 　ⓒ　의 적절성이다. 교과별 시수, 수업 일수 등을 고려했을 때 평가에 오랜 시간이 소요되면 현실적으로 활용하기 곤란하다. 둘째, 　ⓒ　의 충분성이다. 학교의 재정을 고려했을 때 평가 시 과도한 비용이 들면 평가를 실시하기 곤란하다.

Answer

269 ⊙ 가치판단 ⓒ 스트레스 / 평가부담 ⓒ 공정성 ⓔ 사교육비
270 ⊙ 일관성 ⓒ 재검사 신뢰도 ⓒ 효율적 / 편리하다 ⓔ 기억효과(연습효과)
271 ⊙ 문항의 형태 ⓒ 문항의 난이도 ⓒ 성장(성숙) 요소 ⓔ 어렵다 / 곤란하다
272 ⊙ 관찰점수 ⓒ 적정 ⓒ 오차점수 ⓔ 이질적
273 ⊙ 주관적 판단 ⓒ 채점자 내 신뢰도 ⓒ 채점자 간 신뢰도 ⓔ 루브릭
274 ⊙ 편리한 정도 ⓒ 평가 소요 시간 ⓒ 평가 비용

Chapter 04 컴퓨터화 검사와 수행평가

중요도 ○○○

275 컴퓨터를 활용한 평가

제시문에서는 피험자의 반응에 따라 즉각적으로 다른 난이도의 문항이 제시되는데, 이러한 평가를 [㉠](이)라 한다. 이러한 평가방식의 장점은 다음과 같다. 첫째, 반응에 따라 [㉡]을(를) 제시함으로써 학습자 수준별 맞춤형 평가가 가능하다. 둘째, 평가자의 반응마다 다른 문항이 제시되므로 [㉢]을(를) 예방할 수 있다. 반면, 이 평가방식은 반응에 따라 다른 문항이 제시되도록 하는 [㉣]을(를) 만들기 어렵다는 단점이 있다.

276 컴퓨터를 활용한 평가 ●●●

전통적인 지필평가와 다른 에듀테크 기반 평가의 특징은 다음과 같다. 첫째, 평가 시점의 측면에서 학습 완료 시점에 평가하는 전통적 지필평가와 달리, 에듀테크 기반 평가는 [㉠]에 평가한다. 둘째, 접근성의 측면에서 교실 내에서 제한적으로 평가를 실시하는 전통적 지필평가와 달리, 에듀테크 기반의 평가는 언제 어디서든 평가를 실시할 수 있다. 셋째, 평가절차의 측면에서 진도에 따라 정해진 문항을 누구에게나 똑같이 제공하는 전통적 지필평가와 달리, 에듀테크 기반의 평가는 학생의 반응에 따라 [㉡](으)로 제시한다. 넷째, 형태의 측면에서 정형화된 지필검사의 형태인 전통적 지필평가와 달리, 에듀테크 기반의 평가는 [㉢] 요소를 포함하고 응시자가 다양하게 조작 가능하다.

277 학습 수행과정 및 활동에 대한 평가

전통적인 지필평가와 이에 대한 대안으로서 수행평가의 차이점은 다음과 같다. 첫째, 학습관의 측면에서 지필평가는 학습결과에 초점을 두지만, 수행평가는 학습의 [㉠] 모두에 초점을 둔다. 둘째, 학습자관의 측면에서 지필평가는 교사에 의해 제시된 문제를 푸는 수동적 학습자를 견지하지만, 수행평가는 스스로 통합된 지식과 기술을 평가하는 [㉡] 학습자를 강조한다. 셋째, 평가내용의 측면에서 지필평가는 주로 지식·이해 등과 같은 인지적 영역의 내용을 평가하지만, 수행평가는 인지적 영역뿐 아니라 [㉢] 등 정의적 영역의 내용도 평가한다.

278 〈 학습 수행과정 및 활동에 대한 평가

수행평가란 학생 스스로 자신의 지식 및 기술을 나타낼 수 있는 [㉠]을(를) 만들거나, 답을 서술하거나 행동으로 나타내도록 하는 평가를 의미한다. 이러한 수행평가의 특징은 다음과 같다. 첫째, 학습결과뿐만 아니라 [㉡]을(를) 평가한다. 둘째, 다양한 산출물이 나올 수 있는 개방형 과제에 대한 학생들의 [㉢] 활동을 강조한다. 셋째, 실제 상황에서 판단력, 문제해결력, 고등 정신사고능력 등 다양한 역량을 평가한다.

279 〈 학습 수행과정 및 활동에 대한 평가

학생 평가 시 활용되는 루브릭이란 평가 준거를 묘사하여 작성한 [㉠]을(를) 의미한다. 수행평가 시 루브릭의 긍정적 효과는 다음과 같다. 첫째, 누가 언제 평가하더라도 일관되게 평가하도록 조력하여 평가의 양호도 중 [㉡]을(를) 높일 수 있다. 둘째, 학습목표를 구체화함으로써 수업의 [㉢]을(를) 일관되게 유지할 수 있다. 셋째, 학습자에게 안내하는 경우 학습자 스스로 자신의 학습 과정과 결과를 점검함으로써 [㉣]을(를) 함양할 수 있다.

280 〈 학습 수행과정 및 활동에 대한 평가

학생이 수행과정에서 보여주는 다양한 역량을 평가하는 수행평가의 장점은 다음과 같다. 첫째, 결과뿐 아니라 과정을 평가함으로써 학생의 계속적인 성장을 도모하는 평가의 [㉠] 기능을 추구할 수 있다. 둘째, 다양한 역량을 평가함으로써 학생에 대한 [㉡] 이해를 가능하게 한다. 반면, 단점은 다음과 같다. 첫째, 학습 수행과정을 평가하는 데 오랜 시간이 소요되어 [㉢]일 수 있다. 둘째, 정의적 역량을 평가하는 과정에서 평가자의 주관이 개입되어 [㉣]이(가) 낮아질 수 있다.

Answer

275 ㉠ 컴퓨터화능력 적응 검사(CAT) ㉡ 다른 문항 / 즉각적 피드백 ㉢ 부정행위 ㉣ 알고리즘
276 ㉠ 학습 도중 ㉡ 적응적 / 개별적 ㉢ 멀티미디어 / 시청각적
277 ㉠ 과정과 결과 ㉡ 능동적 / 주체적 ㉢ 학습동기 · 태도
278 ㉠ 산출물 / 결과물 ㉡ 수행과정 전반 ㉢ 주체적 / 능동적
279 ㉠ 채점 기준 ㉡ 신뢰도 ㉢ 방향 ㉣ 행위주체성 / 자기주도성 / 자기관리역량
280 ㉠ 교육적 / 학습으로서의 평가 ㉡ 종합적 / 전인적 ㉢ 비효율적 ㉣ 신뢰도

281 〈 **학습 수행과정 및 활동에 대한 평가**　●●●

과정중심평가란 [　　⑦　　]에 도달하기 위한 학습 및 성장의 과정을 중시하는 평가로, 과정과 결과를
함께 평가하며 수업 중에 실시된다. 과정중심평가의 기능은 다음과 같다. 첫째, 교사는 학습과정을 관찰
하면서 평가결과를 바탕으로 교수학습을 개선할 수 있으므로 [　　　ⓛ　　　]을(를) 수행한다.
둘째, 학습자 스스로 자신의 학습과정을 성찰하는 [　　ⓒ　　]을(를) 실시하는 경우 평가 그 자체가
학습이 되는 [　　　ⓔ　　　]을(를) 수행한다.

282 〈 **학습 수행과정 및 활동에 대한 평가**　●●●

학습이 완료된 시점에 교사가 학습자의 성취 수준을 평가하는 결과중심평가와 비교되는 과정중심평가의
특징은 다음과 같다. 첫째, 교사중심이 아닌 [　　⑦　　]중심의 평가를 실시한다. 이를 위해 주도적
학습과정을 관찰하거나, 학습자가 직접 평가한다. 둘째, 학습 중에 나타나는 다양한 역량을 평가한다.
결과 시점의 성취 수준뿐 아니라 성취 수준에 도달하는 과정, 태도 등을 종합적으로 평가한다. 이러한
특징에 따른 장점은 다음과 같다. 첫째, 학습자중심의 평가를 통해 학습과 평가에 있어서 자율성을
높이고 학습자의 [　　ⓛ　　] 동기를 높인다. 둘째, 과정을 평가함으로써 인지적 영역뿐 아니라 정의적
영역도 평가할 수 있어 학생의 [　　ⓒ　　] 성장을 도모할 수 있다.

283 〈 **학습 수행과정 및 활동에 대한 평가**　●○○

학습자가 비교적 장시간 수행한 학습결과물의 모음집을 가지고 평가하는 방식을 [　　　⑦　　　](이)
라고 한다. 이러한 평가의 장점은 다음과 같다. 첫째, 학습자가 직접 수행한 결과물의 변화 모습을 평가
함으로써 학습자가 평가결과를 보며 스스로 [　　ⓛ　　]하는 기회를 가질 수 있다. 둘째, 수업 중
학습자가 직접 만든 산출물을 기반으로 평가하므로 수업과 평가의 [　　ⓒ　　]을(를) 확보할 수 있다.
하지만 이 평가방식은 오랜 시간 산출물을 누적하여 평가해야 하므로 [　　ⓔ　　]일 수 있다.

284 | 학습 수행과정 및 활동에 대한 평가　●●●

최근 강조되는 논·서술형 평가란 서답형 문항을 통한 평가방식으로서 학생이 직접 [　　ⓐ　　]한 답안을 평가하는 방식을 의미한다. 논·서술형 평가의 장점은 다음과 같다. 첫째, 학생들의 생각을 나타낸 글을 평가하므로 [　　ⓑ　　] 다양한 능력을 평가할 수 있다. 둘째, 평가와 동시에 학생들은 자신의 생각을 표현하는 과정에서 평가 그 자체가 학습으로서의 효과를 발생시킬 수 있다. 셋째, 찍기를 방지하여 측정하고자 하는 바를 정확히 측정할 수 있으므로 평가의 양호도 중 [　　ⓒ　　]을(를) 높일 수 있다.

285 | 학습 수행과정 및 활동에 대한 평가　●●○

A 교사는 논·서술형 평가에서 채점 요소를 세분화하기보다는 학생의 수행 정도를 종합하여 평가하는데, 이와 같은 채점방법을 [　　ⓐ　　](이)라 한다. 이 채점방법의 장점은 다음과 같다. 첫째, 채점자가 답안을 전반적으로 읽고 직관적으로 점수를 매겨 채점이 [　ⓑ　]하다. 둘째, 채점 요소를 세부화하기 곤란한 전반적인 질, 창의성, 흐름 등을 평가하기 용이하다. 그러나 전체적 인상에 근거하여 채점하다 보니 상황에 따라 채점결과가 달라져 [　　ⓒ　　](이)가 저하된다는 단점이 있다.

Answer

281 ⓐ 성취기준 ⓑ 학습을 위한 평가 기능 ⓒ 자기평가 ⓓ 학습으로서의 평가 기능
282 ⓐ 학습자 ⓑ 내재적 ⓒ 전인적
283 ⓐ 포트폴리오 평가 ⓑ 반성 / 성찰 ⓒ 일관성 ⓓ 비효율적
284 ⓐ 작성(서술) ⓑ 논리력 / 문제해결력 / 어휘력 등 ⓒ 내용타당도
285 ⓐ 총괄적 채점방법 ⓑ 신속(경제적 / 효율적) ⓒ 신뢰도

Chapter 05 교육연구방법론

중요도 ○○○

286 〈 교육연구의 유형

교육연구는 크게 양적 연구와 질적 연구로 구분된다. 양적 연구는 현상을 [㉠] 한다는 특징을 지니고, 질적 연구는 현상이 가지고 있는 심층적 의미를 탐구한다는 특징을 지닌다. 교육현장에서 각각의 연구는 모두 필요성을 가지는데, 양적 연구의 경우 교육현상에 관한 [㉡] 을(를) 발견하고 이를 일반화하기 위해 필요하다. 또한 질적 연구의 경우, 학습자의 변화과정을 개별적으로 [㉢] 하기 위해서 필요하다고 할 수 있다.

287 〈 교육연구의 과정

A 교사는 학급 경영과 관련하여 조사 문항을 작성하고 학생들에게 이를 배부하였는데, 이러한 자료수집 방법을 [㉠] (이)라 한다. 이 방법의 장점은 다음과 같다. 첫째, 배포와 수집이 간단해 단시간에 대량 정보를 파악하기 용이하고 [㉡] (이)다. 둘째, 객관식 설문으로 진행할 경우 기술의 발전으로 [㉢] 이(가) 용이하다. 그러나 설문의 [㉣] 이(가) 높지 않아, 당초 계획한 표본 수를 확보하지 못할 수 있다는 단점이 있다.

288 〈 교육연구의 과정

●○○

A 교사는 교실 내 학생들의 교우관계를 파악하기 위해 질문지를 통해 학습자와 친한 학생을 작성하게 하였는데, 이러한 방법을 [㉠] (이)라 한다. 이 방법은 교우관계를 통해 교실 내 [㉡] 을(를) 파악하는 데 도움이 된다는 의의가 있다. 그러나 한계로는 첫째, 교우관계는 상황과 시점에 따라 [㉢] 하여 정확한 측정이 어렵다는 점, 둘째, 관계만 보여줄 뿐 [㉣] 을(를) 알 수 없어 활용이 제한된다는 점이 있다.

289 ⟨ 교육연구의 과정　　　　　　　　　　　　　　　　　●○○

평정법 중 A 교사의 질문지처럼 하나의 질문에 대해 5점 척도로 응답하게 하는 평정법을 ⟨　　⟨㉠　　⟩(이)라 한다. 이 척도법은 측정하고자 하는 내용을 간편하게 ⟨　㉡　⟩할 수 있다는 장점을 지닌다. 반면, B 교사는 형용사를 사용하여 측정 대상에 대한 주관적 느낌을 측정하는데, 이를 ⟨　　㉢　　⟩(이)라 한다. 이 척도법은 어떤 사건에 대한 주관적인 느낌을 간접적으로 측정하는 데 적합하다는 장점을 지닌다.

290 ⟨ 연구의 타당성　　　　　　　　　　　　　　　　　　●○○

연구의 내적 타당도란 독립변인이 종속변인에 영향을 미친 정도, 즉 ⟨　　㉠　　⟩(이)가 명확한 정도를 의미한다. 연구의 내적 타당도를 위협하는 요인은 다음과 같다. 첫째, ⟨　㉡　⟩(이)다. 연구 기간이 긴 경우 연구대상의 성장·발달이 있으면 내적 타당도를 확보하기 곤란해진다. 둘째, ⟨　㉢　⟩(이)다. 실험집단과 통제집단의 특성이 다른 경우, 연구의 인과관계를 파악하기 곤란해진다. 셋째, ⟨　㉣　⟩(이)다. 첫 번째 검사값이 극단적으로 나타난 경우 두 번째 검사값에서 평균으로 돌아오면서 연구의 인과관계를 파악하기 곤란해진다.

291 ⟨ 연구의 타당성　　　　　　　　　　　　　　　　　　●○○

연구의 외적 타당도란 표본을 통해 얻은 연구결과의 ⟨　㉠　⟩ 정도를 의미한다. 연구의 외적 타당도를 위협하는 요인은 다음과 같다. 첫째, ⟨　㉡　⟩(이)다. 실험이라는 상황 자체에 영향을 받아 실험 상황이 일반화할 상황과 일치하지 않는 경우 외적 타당도 확보가 곤란하다. 둘째, ⟨　㉢　⟩(이)다. 실험을 통해 관찰된 효과가 특정 시기에 걸친 특별한 사건과 결부되는 경우 외적 타당도를 확보하기 곤란하다. 셋째, ⟨　㉣　⟩(이)다. 실험집단이 모집단을 대표하지 못하는 경우 외적 타당도를 확보하기 곤란하다.

Answer

286	㉠ 수량화 / 객관화 ㉡ 법칙 ㉢ 이해
287	㉠ 설문조사법(질문지법) ㉡ 효율적 ㉢ 통계화 / 계량화 ㉣ 회수율
288	㉠ 사회성 측정법 / 교우도 검사 ㉡ 분위기 / 문화 ㉢ 변화 ㉣ 이유
289	㉠ 리커트 척도법 ㉡ 수치화(수량화) ㉢ 의미분화척도
290	㉠ 인과관계 ㉡ 성숙 ㉢ 선발 ㉣ 회귀
291	㉠ 일반화 ㉡ 상황과 맥락 ㉢ 시기 ㉣ 모집단의 범위

V

교육심리 및
생활지도 · 상담

Chapter 01 학습자에 대한 이해

중요도 ○○○

---

292 〈 지능

●●●

A 학생은 지능이 불변한다는 관점을 가지고 있는데, 드웩의 이론에 따를 때 이러한 관점의 명칭은 [㉠](이)라고 한다. 이러한 관점을 가진 학생의 특징은 다음과 같다. 첫째, 과제 수행 중 실패를 했을 때 [㉡]에 귀인하여 학습동기가 하락한다. 둘째, 목표 설정 시 스스로 잘하려고 하는 숙달목표보다는 남과 비교하려는 [㉢]을(를) 주로 설정한다. 셋째, 타인으로부터 받는 부정적 평가가 능력 부족으로 귀결될까 두려워 방어적인 태도를 취한다.

---

293 〈 지능

스피어만의 일반요인이론에 따를 때 지능의 구성요인은 다음과 같다. 첫째, [㉠](이)다. 이 요인은 모든 지능을 군림하는 단일한 능력으로 언어, 수, 정신 속도, 주의, 상상 등이 이에 해당한다. 둘째, [㉡](이)다. 이 요인은 특수한 능력으로서 영역별 지능검사를 통해 세분화되어 측정된다. 한편, 카텔은 지능이 성인기 이후에도 발달하는지 여부에 따라 지능을 크게 2가지로 구분한다. 첫째, 유동적 지능은 암기력 등 [㉢]에 의하여 발달하는 지능으로, 성인기 이후에는 노화에 따라 감퇴한다고 본다. 둘째, [㉣]은(는) 논리적 추리력, 언어 능력 등 환경 및 경험, 문화적 영향에 의하여 발달하는 지능으로 성인기 이후에도 꾸준히 발달한다고 본다.

---

294 〈 지능

●○○

가드너의 다중지능이론에 따를 때 지능이란 문화적으로 [㉠]을(를) 의미한다. 가드너는 개인별로 강점 지능이 상이하다고 본다. 제시문의 학생 A는 새로운 언어를 습득하고 활용하는 것이 자유자재이므로 강점 지능은 [㉡](이)다. 또한, 학생 B는 다른 학생들의 감정에 쉽게 공감할 수 있으므로 강점 지능은 [㉢](이)다. 마지막으로 학생 C는 자신의 감정을 이해하고 통제하는 것에 능숙하므로 강점 지능은 [㉣](이)다.

---

295 지능

스턴버그는 삼원지능이론을 통해 인간이 어떤 문제를 해결하고 지적으로 행동하기 위한 정보를 모으고 사용하는 것에 초점을 둔다. 이때 지능을 크게 3가지로 구분하는데, 지능의 종류와 구성요소는 다음과 같다. 첫째, 분석적 지능이다. 이는 지적인 행동으로서 인간의 정신과정과 관련된 지능이며 [　　　　　㉠　　　　　](으)로 구성된다. 둘째, [　　㉡　　](이)다. 이는 인간의 경험과 관련된 창조적 지능으로, 신기성을 다루는 능력, 정보처리 자동화 능력으로 구성된다. 셋째, 실제적 지능이다. 이는 전통적 지능검사와 무관한 인간의 실용적인 능력으로, 환경을 [　㉢　] 하는 능력으로 구성된다.

296 지능

감성 지능이란 자신 또는 타인의 정서를 정확하게 [　　　　㉠　　　　]하는 능력을 의미한다. 골만은 감성 지능의 요소로 크게 5가지를 제시하는데, 제시문에 언급된 감정이입·대인관계기술 외 감성 지능의 구성요소는 다음과 같다. 첫째, [　　㉡　　](이)다. 이는 자신의 감정을 돌아보고 자신의 내면에 지속적으로 주의를 기울이는 것을 의미한다. 둘째, [　　㉢　　](이)다. 이는 자신이 느낀 감정을 즉각적으로 표현하지 않고 상황에 따라 적절하게 조절하는 것을 의미한다. 셋째, [　　㉣　　](이)다. 이는 목표를 달성하기 위하여 자신에게 닥치는 어려움을 견디고 이겨내고자 노력하는 것을 의미한다.

297 창의성

새롭고 적정한 것을 창출해내는 능력인 창의성의 인지적 측면에서의 특성은 다음과 같다. 첫째, [　　㉠　　](이)다. 이는 남들이 생각하지 못한 답을 내는 특성을 의미한다. 둘째, [　　㉡　　] (이)다. 이는 아이디어를 구체적으로 발전시키고 세부적인 부분까지 치밀하게 계획하는 능력을 의미한다. 다음으로 정의적 측면에서의 특성은 다음과 같다. 첫째, [　　㉢　　](이)다. 이는 새로운 상황에서도 위축되지 않고 아이디어를 제시하고, 새로운 아이디어를 정련화하려는 태도를 의미한다. 둘째, [　　㉣　　](이)다. 이는 다양한 분야에 대해 궁금해하고, 알고자 하는 열망을 가지는 태도를 의미한다.

Answer

292	㉠ 고정적 관점 ㉡ 능력 ㉢ 수행목표
293	㉠ g요인(일반지능요인) ㉡ s요인(특수지능요인) ㉢ 유전 ㉣ 결정적 지능
294	㉠ 가치 있는 물건을 창조하거나 문제를 해결하는 데 필요한 정보를 처리하는 잠재력 ㉡ 언어 지능 ㉢ 대인관계 지능 ㉣ 개인 내 지능
295	㉠ 메타요소, 수행요소, 지식습득요소 ㉡ 창의적 지능 ㉢ 선택, 적응, 조성
296	㉠ 지각, 평가, 표현 ㉡ 자기인식 ㉢ 자기조절 ㉣ 자기동기화
297	㉠ 독창성 ㉡ 정교성 ㉢ 도전적 태도 ㉣ 호기심

 창의성

월러스가 제시한 창의적 사고과정을 단계별로 설명하면 다음과 같다. 첫째, ⬚⬚⬚⬚ ㉠ ⬚⬚⬚⬚(이)다. 문제와 관련된 기본적 정보를 수집한다. 둘째, ⬚⬚⬚⬚ ㉡ ⬚⬚⬚⬚(이)다. 창의적 사고를 위해 문제를 이해하고 생각한다. 셋째, ⬚⬚⬚⬚ ㉢ ⬚⬚⬚⬚(이)다. 창의적 아이디어가 갑자기 발현된다. 넷째, ⬚⬚⬚⬚ ㉣ ⬚⬚⬚⬚(이)다. 아이디어의 적절성을 검증하고 실행한다.

 창의성

칙센트미하이는 창의성 체계 모델을 통해 창의성 연구의 3가지 영역으로 ⬚⬚⬚⬚ ㉠ ⬚⬚⬚⬚을(를) 제시하였다. 한편, 칙센트미하이는 창의성을 연구하는 과정에서 몰입이론을 제시하였는데, 몰입이란 ⬚⬚⬚⬚⬚⬚⬚⬚ ㉡ ⬚⬚⬚⬚⬚⬚⬚⬚을(를) 의미한다. 학습에 몰입했을 때에는 학습 자체가 ⬚⬚⬚⬚ ㉢ ⬚⬚⬚⬚(이)라고 인식하며 창의성 등이 최고 수준에 달한다는 특징이 있다. 이러한 몰입을 유발하는 요소로는 몰입할 수 있는 구체적이고 명확한 ⬚⬚⬚⬚ ㉣ ⬚⬚⬚⬚을(를) 제시할 수 있다.

 창의성

학습자의 창의성을 검사하는 영역 4가지는 다음과 같다. 첫째, ⬚⬚⬚⬚ ㉠ ⬚⬚⬚⬚(이)다. 창의적인 사람의 성격적 특성, 인지양식 등을 연구한다. 둘째, ⬚⬚⬚⬚ ㉡ ⬚⬚⬚⬚(이)다. 창의적인 아이디어가 생성되는 심리적 단계나 사고과정을 연구한다. 셋째, ⬚⬚⬚⬚ ㉢ ⬚⬚⬚⬚(이)다. 만들어진 결과물의 새로움과 유용성을 평가한다. 넷째, ⬚⬚⬚⬚ ㉣ ⬚⬚⬚⬚(이)다. 창의성을 자극하거나 억제하는 물리적·사회적 환경과 그 영향력을 연구한다.

301 〈 창의성 ●●○

제시문에서는 창의적 아이디어의 산출을 위해 여러 명의 학생이 자유롭게 토의하도록 하는데, 이와 같은 방식을 [　　　　㉠　　　　](이)라 한다. 이 방법을 적용할 때 준수해야 하는 원칙은 다음과 같다. 첫째, [　　　　㉡　　　　]의 원칙이다. 누구나 자유롭게 이야기하기 위해서는 아이디어에 대한 평가를 최대한 뒤로 미룬다. 둘째, [　　　　㉢　　　　]의 원칙이다. 브레인스토밍에서는 새롭고 다양한 아이디어의 표현을 강조하므로 우선 많은 양의 아이디어가 산출되도록 한다. 셋째, [　　　㉣　　　]의 원칙이다. 자유롭게 제시된 아이디어를 결합 및 개선하는 과정을 통해 상황에 맞는 적절한 아이디어로 발전시킨다.

302 〈 창의성 ●●○

제시문의 각 교사가 활용하는 창의성 함양방법과 방법별 장점은 다음과 같다. 첫째, A 교사는 6가지 색깔 모자를 쓰고 모자별 사고 유형을 표현하게 하는데, 이러한 방법을 [　　　　㉠　　　　] 기법이라 한다. 이 방법은 역할에 따라 한정된 사고 유형을 제시하는데, 이렇게 하면 사고에 대한 비판이 있어 [　　㉡　　]을(를) 최소화함으로써 자유로운 사고와 표현이 가능해진다. 둘째, B 교사는 유추를 통해 친숙한 것을 새롭게 보도록 하는데, 이러한 방법을 [　　㉢　　] 기법이라 한다. 이 방법은 기존의 [　　㉣　　]을(를) 깨뜨리고 새로운 관점으로 사고하도록 한다.

303 〈 자기주도성 ●○○

최근 교육에서 강조되고 있는 자기주도성이란 교육의 전 과정을 [　　　　㉠　　　　]을(를) 의미한다. 자기주도성이 중요한 이유는 다음과 같다. 첫째, 개인적 측면에서 학습자 스스로 자신에게 필요한 것들을 분석하고 계획하게 함으로써 성인이 되어서도 [　　㉡　　]을(를) 가능하게 한다. 둘째, 사회적 측면에서 복잡하고 급변하는 사회에 능동적으로 대응하게 하고, 사회에서 필요로 하는 [　　㉢　　](으)로 성장하는 것을 가능하게 한다.

Answer

298	㉠ 준비 ㉡ 배양(부화) ㉢ 영감(발현) ㉣ 검증
299	㉠ 영역, 활동 현장, 개인 ㉡ 시간이 흐르는 줄 모르고 완전히 몰두하는 경험 ㉢ 보상 ㉣ 목표
300	㉠ 개인(Person) ㉡ 과정(Process) ㉢ 산출(Product) ㉣ 환경(Press)
301	㉠ 브레인스토밍 ㉡ 비판적 평가 금지 ㉢ 질 보다 양 중시(양산) ㉣ 결합과 개선을 통한 발전
302	㉠ 6색 사고모(Six-Hat) ㉡ 자아의 손상 ㉢ 시네틱스(Synectics) ㉣ 고정관념
303	㉠ 자발적 의사에 따라 스스로 선택하고 결정하는 능력 ㉡ 지속적 성장 ㉢ 주도적 인재

304〈 자기주도성 ●●○

학습자의 자기주도성 함양을 위한 교사의 수업전략은 다음과 같다. 첫째, [　　㉠　　](이)다. 자기 학업계획서 작성, 자기평가 등 자기주도성 함양과 관련한 우수사례, 성공모델을 제시하여 자기주도학습에 대한 학습자의 부담감을 감소시킨다. 둘째, 성취동기의 자극이다. [　　㉡　　]을(를) 제시하고 성공을 경험하게 함으로써 학습에 대한 자신감을 갖도록 한다. 셋째, 메타인지 활용방법을 가르친다. 스스로 [　　㉢　　]을(를) 작성하게 하거나 체크리스트를 활용한 자기평가를 실시하여 메타 인지를 자극한다.

305〈 학습자의 개인차 ●○○

위트킨은 학습자의 인지과정에서 외적인 장에 의해 영향을 받는 정도에 따라 학습자의 학습양식을 장독립형과 장의존형으로 구분하였다. 우선 장독립형 학습자의 특징은 다음과 같다. 첫째, 학습내용에 있어서 전체보다 부분에 초점을 두면서 개별 요소를 [　㉠　]하는 것에 중점을 둔다. 둘째, 학습내용을 [　㉡　] 학습하면서 성취하는 것을 선호한다. 다음으로 장의존형 학습자의 특징은 다음과 같다. 첫째, 부분보다는 전체에 초점을 두면서 사회적 요소나 [　㉢　]을(를) 중요시한다. 둘째, 학습내용을 [　㉣　] 학습하는 것을 선호한다.

306〈 학습자의 개인차 ●○○

학습자의 학습유형을 구분하기 위해 콜브가 사용한 기준은 다음과 같다. 첫째, [　　㉠　　](이)다. 정보를 타 학생과 공유하는 구체적 경험을 통해 지각하는 것을 선호하는지, 학습자 혼자서 추상적 개념화를 통해 지각하는 것을 선호하는지에 따라 학습자를 구분한다. 둘째, 정보처리 방식이다. 정보를 처리하기 전에 주의 깊게 살피고, 다양한 관점을 고려하면서 반성적으로 관찰하는지, 실험·실습 등을 통해 정보를 직접 적용해보는 [　　㉡　　]을(를) 선호하는지에 따라 학습자를 구분한다. 이러한 기준에 따를 때 제시문의 A 학생은 체계적인 이론 수업을 통해 반성적 관찰과 추상적 개념화를 하는 것을 선호하므로 [　　㉢　　]에 부합한다고 할 수 있다. 반면, B 학생은 친구들과 어울려 새로운 상황에서의 구체적 경험과 활동적 실험을 선호하므로 [　　㉣　　]에 부합한다고 할 수 있다.

307 〈 학습자의 개인차

학습자에게 영향을 미치는 사회경제적 지위란 사회에서 부모의 수입, 직업, 교육 수준 등에 의해 결정되는 가족의 ⟨　　　㉠　　　⟩을(를) 의미한다. 사회경제적 지위가 학생의 학습에 미치는 영향은 다음과 같다. 첫째, 부모의 SES에 따라 학교 밖에서 ⟨　　㉡　　⟩의 차이가 발생하고, 이것이 학업성취의 차이를 불러일으킬 수 있다. 둘째, 부모의 SES에 따라 가정 내 ⟨　　㉢　　⟩의 차이가 나타나고, 이는 학습자가 교사의 언어나 텍스트를 이해하는 데 차이를 발생시켜 학업성취의 차이를 불러일으킬 수 있다.

308 〈 학습자의 개인차

영재를 판별할 때 사용할 수 있는 기준으로 평균 이상의 지능과 창의성, 강한 ⟨　　㉠　　⟩ 등을 제시할 수 있다. 영재교육의 방법으로는 크게 속진학습과 심화학습이 있는데, 각 방법의 장점은 다음과 같다. 첫째, 속진학습은 월반 등을 통해 정규 교육과정의 학습 시간을 ⟨　㉡　⟩(으)로 활용할 수 있다. 둘째, 심화학습은 정규 교육과정에서는 다루지 않는 내용이라도 심화하여 가르침으로써 학습자의 ⟨　　㉢　　⟩을(를) 함양할 수 있다.

Answer

304 ㉠ 모델링 ㉡ 수준에 맞는 과제 ㉢ 학업계획서
305 ㉠ 분석 ㉡ 혼자서 ㉢ 관계 ㉣ (동료와) 함께
306 ㉠ 정보지각 방식 ㉡ 활동적 실험 ㉢ 동화형 ㉣ 조절형
307 ㉠ 상대적 위치 ㉡ 학습 경험 ㉢ 상호작용 양식
308 ㉠ 과제집착력 ㉡ 효율적 / 경제적 ㉢ 고차원적 사고 기술 / 고등정신사고능력

Chapter 02   학습자의 동기

중요도 ○○○

309   동기의 기초

특정 방향으로 행동하도록 만드는 학습 동기의 기능은 다음과 같다. 첫째, [　　　⊙　　　](이)다. 학습 동기는 학습을 시작하게 만든다. 둘째, [　　　ⓛ　　　](이)다. 학습 동기는 학습이 바람직한 방향으로 진행되고 그 방향을 잃지 않도록 도움을 준다. 셋째, [　　　ⓒ　　　](이)다. 학습 동기는 학습자의 학습 행동을 지속할 수 있도록 심리적 유인을 제공한다.

310   동기의 기초

●●●

학습자의 동기는 크게 외재적 동기와 내재적 동기로 구분된다. 이 중 외재적 동기란 경쟁에서 우위를 점하려거나 외부로부터 [　⊙　]을(를) 얻으려는 것과 관련한 동기를 의미한다. 외재적 동기는 학습 능력이나 흥미도가 낮은 학생들의 관심을 유발해 학습을 [　ⓛ　]하게 한다는 점에서 중요하다. 반면, 내재적 동기란 주어진 과제를 하거나 활동하는 [　ⓒ　]이(가) 보상이 되는 동기를 의미한다. 내재적 동기는 외적인 칭찬, 보상이 없어도 학습자 스스로 학습에 대해 의미를 부여하므로 학습의 [　ⓔ　]을(를) 확보하게 한다는 점에서 중요하다.

311   동기의 기초

불안이란 불확실한 결과에 대한 불편한 감정을 의미한다. 제시문의 A 학생처럼 일반적 시험에 대해서는 불안이 없지만 특정 과목, 특정 파트에 대해서만 느끼는 불안의 명칭을 [　⊙　](이)라 한다. 불안이 적정한 경우 적절한 긴장을 유발하여 [　ⓛ　](이)가 높아지고 학습을 촉진한다는 순기능을 가지고 있지만, 불안이 과도한 경우 스트레스로 인해 [　ⓒ　]을(를) 떨어뜨린다는 역기능을 가지고 있다.

312 〈 행동주의 동기이론

헐의 행동주의 동기이론에서는 모든 행동이 욕구를 충족시키기 위한 방향으로 이어진다고 본다. 이때 행동의 강도를 결정짓는 요소는 다음과 같다. 첫째, [㉠](이)다. 이는 욕구의 결핍에 따른 심리적 긴장을 의미하는 것으로, 어떤 것에 관한 욕구가 큰 경우 욕구 결핍에 따른 긴장이 커지고 행동의 강도가 커진다. 둘째, [㉡](이)다. 이는 욕구가 충족된 상황에 대해 느끼는 가치의 정도로, 동일한 욕구라도 그 욕구가 개인에게 주는 의미가 큰 경우 행동의 강도가 커진다. 이와 같은 행동주의 동기이론은 내적 동기가 약한 저학년 학생들이나 학습 능력이 [㉢] 학생들이 학습행동을 시작하는 데 도움을 주지만, 지나치게 외재적 보상만을 강조하여 학습행동을 [㉣] 시키는 데는 한계가 있다.

313 〈 인본주의 동기이론

매슬로우는 욕구위계이론에서 인간의 욕구를 중요도에 따라 단계화한다. 그는 크게 성장욕구와 결핍 욕구로 욕구를 분석하는데, 결핍욕구는 완전한 충족이 [㉠]하지만 성장욕구는 완전한 충족이 불가능하다. 한편 결핍욕구는 세부적으로 4가지 욕구로 구분된다. 제시문의 A 학생의 경우 친구들을 사귀고 싶다는 욕구를 가지고 있는데, 이러한 욕구를 [㉡](이)라 한다. B 학생의 경우 친구들 앞에서 인정받고 싶다는 욕구를 가지고 있는데, 이러한 욕구를 [㉢](이)라 한다. 이러한 욕구위계 이론은 여러 단계의 욕구가 [㉣] 발생 가능하다는 점을 설명하기 어렵다는 측면에서 한계를 지닌다.

314 〈 인지주의 동기이론　　　　●●○

와이너는 학습의 성공과 실패의 원인을 무엇에 귀속시키는지에 따라 동기가 변화한다는 귀인이론을 제시한다. 이 이론은 귀인분석의 기준으로 [㉠], 안정성, 통제 가능성을 제시한다. 이 기준에 근거했을 때 제시문의 각 학생이 실패의 원인으로 지목한 것을 분석하면 다음과 같다. 첫째, A 학생이 실패의 원인으로 제시한 층간소음은 학습자 [㉡]에 있고 언제든 변화할 수 있어 [㉢](이)다. 또한 A 학생의 의지에 따라 상황을 제어할 수 없으므로 통제 불가능하다. 둘째, B 학생이 실패의 원인으로 제시한 문해력은 학습자 내부에 있고 단기에 변화하기 곤란하므로 안정적이다. 또한 단기에 B 학생의 의지에 따라 제어하기 곤란하므로 [㉣]하다.

Answer

309 ㉠ 발생적 기능 ㉡ 방향적 기능 ㉢ 강화적 기능
310 ㉠ 보상 ㉡ 시작 ㉢ 그 자체 ㉣ 지속성
311 ㉠ 상태 불안 ㉡ 주의집중 ㉢ 학습동기
312 ㉠ 추동 ㉡ 습관 강도 ㉢ 낮은 ㉣ 지속
313 ㉠ 가능 ㉡ 사회적 욕구 ㉢ 존경의 욕구 ㉣ 동시에
314 ㉠ 원인의 소재 ㉡ 외부 ㉢ 불안정적 ㉣ 통제 불가능

315 〈 인지주의 동기이론　　　　　　　　●●○

반두라가 제시한 자아효능감이란 [　　　　　　⑤　　　　　　]을(를) 의미한다.
자아효능감이 높은 학생의 특징은 다음과 같다. 첫째, 자신의 능력에 대한 믿음이 있으므로 과제를 선택
할 때 [　　　ⓛ　　　] 과제를 선택한다. 둘째, 노력을 통해 성공할 수 있다는 믿음이 있으므로 단기에
실패하더라도 포기하지 않는 [　　　ⓒ　　　]이(가) 있다. 셋째, 과제 수행과정에서 자신의 전략이
효과적이지 않다고 판단되면 즉시 수정한다.

316 〈 인지주의 동기이론　　　　　　　　●●●

반두라가 제시한 자아효능감에 영향을 미치는 요인은 다음과 같다. 첫째, 과거의 [　　⑤　　]
(이)다. 유사한 과제를 성공한 경험이 있으면 학습자가 자신감을 가지고 학습에 참여한다. 둘째,
[　　ⓛ　　](이)다. 학습자와 유사한 능력을 가진 다른 학습자가 과제를 수행한 성공 사례를 보여주면
학습자가 자신도 할 수 있다는 기대감을 가지고 학습에 참여한다. 셋째, [　　ⓒ　　](이)다.
학습자의 능력에 대해 교사가 긍정적 피드백을 제공하면 학습자가 자신감을 가지고 학습에 참여한다.
넷째, [　　ⓓ　　](이)다. 학습 실패나 어려운 과제에 직면했을 때 생기는 긴장과 불안을 어떻게
해석하느냐가 학습에 영향을 미친다.

317 〈 인지주의 동기이론　　　　　　　　●●○

데시와 라이언의 자기결정성이론에서는 3가지 기본욕구가 충족되면 인간에게 [　　⑤　　]이(가)
발생하고 이를 통해 학습 동기가 유발된다고 본다. 이때 충족되어야 하는 3가지 욕구는 다음과 같다.
첫째, [　　ⓛ　　] 욕구이다. 이는 자신이 유능한 사람이라고 믿는 지각으로, 과제의 성공경험을
통해 충족될 수 있다. 둘째, [　　ⓒ　　] 욕구이다. 이는 타인과 좋은 관계를 맺고자 하는 욕구로,
협동적 문제해결과정을 통해 충족될 수 있다. 셋째, 자율성 욕구이다. 이는 스스로 결정하고 행동하려는
욕구로, 자신에게 맞는 과제를 [　　ⓓ　　]하고 조절할 수 있는 권한을 부여했을 때 충족될 수 있다.

318 〈 인지주의 동기이론 ●●●

데시와 라이언이 유기체적 통합이론에서 제시하는 외재적 동기의 4가지 유형은 다음과 같다. 첫째, [㉠](이)다. 이는 외적 보상을 얻거나 벌을 회피하기 위한 동기를 의미한다. 둘째, [㉡](이)다. 이는 수치심, 죄책감을 피하기 위한 동기를 의미한다. 셋째, [㉢](이)다. 이는 진로·진학 등 가시적으로 확인된 목표를 달성하기 위해 행동하는 동기를 의미한다. 넷째, [㉣](이)다. 이는 행동과 자신을 일치시킴으로써 사회에서 필요로 하는 사람이 되기 위한 동기를 의미한다.

319 〈 인지주의 동기이론 ●●●

데시와 라이언이 인지적 평가이론에서 제시하는 보상의 두 가지 측면과 각각의 보상이 학습 동기에 미치는 영향은 다음과 같다. 첫째, [㉠]의 보상이다. 이는 정보적 피드백과 같이 학습과정과 결과에 대해 학습자의 능동적 행동에 귀인하는 것을 의미한다. 이러한 보상은 학습자의 [㉡] 등의 욕구를 자극해 내재적 동기를 유발하는 데 도움을 준다. 둘째, [㉢]의 보상이다. 이는 외적 보상과 같은 강화와 칭찬을 통해 보상하는 것을 의미한다. 이러한 보상은 학습자의 자율성을 억제함으로써 내재적 동기가 있었던 학생에게 과도한 보상을 제공하게 되고 이로 인해 오히려 동기가 손상된다는 [㉣] 현상을 유발할 수 있다.

320 〈 인지주의 동기이론

코빙턴은 자기가치이론을 통해 인간에게는 누구나 자신을 보존하려는 욕구가 있고 이를 충족시키는 과정에서 행동이 유발된다고 본다. 이 이론에서 제시하는 자기가치란 자아에 관련된 하나의 구인으로서 자신에 대한 가치를 의미한다. 이 이론에서는 자기가치를 보호하기 위해 자기장애 전략을 활용한다고 보는데, 자기장애 전략이란 실패가 예견되거나 실패가 발생했거나 예견되는 상황에서 자기가치를 보존하기 위해 [㉠]을(를) 만드는 전략을 의미한다. 이러한 전략의 유형은 다음과 같다. 첫째, [㉡] 자기장애 전략이다. 이는 실패의 원인에 대해 다양한 핑계를 들어 변명하는 전략을 의미한다. 둘째, 행동적 자기장애 전략이다. 이는 [㉢] 목표를 설정함으로써 실패를 외적 요인으로 귀인하는 것을 의미한다.

Answer

315 ㉠ 어떤 과제를 성공적으로 실행하는 자신의 능력에 대한 지각 ㉡ 도전적인(도전감 있는) ㉢ 인내심
316 ㉠ 성공경험 ㉡ 대리경험(모델링) ㉢ 언어적 설득 ㉣ 개인의 심리상태 / 정서적 상태
317 ㉠ 자기결정력 ㉡ 유능성(유능감) ㉢ 관계성 ㉣ 선택
318 ㉠ 외적 규제(조절) ㉡ 부과된(내사된) 규제(조절) ㉢ 확인된(동일시된) 규제(조절) ㉣ 통합된 규제(조절)
319 ㉠ 정보적 측면 ㉡ 유능성, 자율성 ㉢ 통제적 측면 ㉣ 과정당화
320 ㉠ 핑곗거리 ㉡ 언어적 ㉢ 비현실적

321 〈 인지주의 동기이론

어떤 목표를 설정하느냐에 따라 동기가 변화한다는 목표지향이론에 따를 때 제시문의 각 학생이 갖고 있는 목표의 유형과 해당 목표가 학습에 미치는 영향은 다음과 같다. 첫째, A 학생은 과제의 가치에 따라 목표를 설정하는데, 이러한 목표를 [㉠   ](이)라고 한다. 이러한 목표는 학습자가 학습 과제의 가치를 파악하고 이를 통해 스스로 설정한 목표이므로 [㉡   ] 동기를 유발하고 학습을 지속시키는 데 도움을 준다. 둘째, B 학생은 타인과 비교해서 유능함을 느낄 수 있도록 목표를 설정하는데, 이러한 목표를 [㉢   ](이)라 한다. 이러한 목표를 가지고 있으면 타인과의 경쟁에서 우위를 점하려고 하므로 외재적 동기를 유발하고 학습을 촉진할 수 있지만, 타인의 수준에 따라 학습의 정도가 달라질 수 있다.

322 〈 인지주의 동기이론

성취동기이론에서 말하는 성취동기란 [㉠   ]을(를) 의미한다. 성취동기가 높은 학생과 낮은 학생의 차이점은 다음과 같다. 첫째, 관심사 측면에서 성취동기가 높은 학생은 과업의 성공 가능성과 자부심에 관심이 있는 반면, 낮은 학생은 실패에 따른 [㉡   ]에 관심이 있다. 둘째, 과제 선택의 측면에서 성취동기가 높은 학생은 [㉢   ] 과제를 선택하는 반면, 낮은 학생은 쉽거나 아주 어려운 과제를 선택한다. 셋째, 실패의 귀인 측면에서 성취동기가 높은 학생은 노력에 귀인하는 반면, 낮은 학생은 능력이나 [㉣   ]에 귀인한다.

323 〈 인지주의 동기이론

기대가치이론에서는 기대와 가치에 따라 행동이 변화한다고 본다. 이때 기대란 과제를 [㉠   ](으)로 수행할 수 있다는 믿음을 의미하며, 가치란 행동의 결과물에서 찾을 수 있는 [㉡   ]을(를) 의미한다. 한편, 셀리그만이 제시한 학습된 무기력이란 극복할 수 없는 환경에 반복적으로 노출된 경험으로 인하여, 실제로 [㉢   ]에도 불구하고 자포자기하는 것을 의미한다. 학습된 무기력을 가진 학생은 [㉣   ]와(과) 학습동기가 낮고 우울증과 같은 정서적 문제를 경험하는 특징을 보인다.

Answer

321 ㉠ 숙달목표 ㉡ 내재적 ㉢ 수행접근목표
322 ㉠ 도전적이고 어려운 과제를 성공적으로 수행하려는 욕구 ㉡ 수치심 ㉢ 도전적인 / 보통보다 약간 어려운 ㉣ 난이도
323 ㉠ 성공적 ㉡ 매력도 ㉢ 자신의 노력으로 극복할 수 있음 ㉣ 자아효능감

Chapter 03   학습자의 발달

중요도 ○○○

324 〈 발달에 대한 이해   ●●○

브론펜브레너는 생태이론을 통해 아동에 영향을 주는 환경의 개념을 확장한다. 이 이론에 따를 때 A 학생의 발달에 영향을 미친 체계는 다음과 같다. 첫째, [㉠](이)다. 이는 아버지와의 관계처럼 아동과 직접적으로 상호작용하는 환경을 의미한다. 둘째, [㉡](이)다. 이는 아버지가 학부모위원으로서 교내활동에 참여하는 것과 같이 미시체계 간의 상호작용을 의미한다. 셋째, [㉢](이)다. 이는 아버지의 육아휴직을 보장하는 법과 같이 아동이 속해 있는 사회의 가치, 법률, 관습 등을 의미한다.

325 〈 인지적 영역의 발달   ●○○

피아제의 인지발달이론에서는 동화와 조절을 통해 인지구조가 변화하면서 인지발달이 일어난다고 본다. 먼저 동화란 자신이 이미 가지고 있는 [㉠] 속에 새로운 대상을 받아들이는 인지과정을 의미한다. 또한, 조절이란 새로운 대상에 맞도록 이미 가진 도식을 [㉡] 인지과정을 의미한다. 피아제는 동화와 조절을 포함한 조작의 정도에 따라 발달단계를 4단계로 구분하는데, 기본 전제는 다음과 같다. 첫째, 발달단계는 감각운동기부터 형식적 조작기까지 이루어지는 [㉢]을(를) 전제한다. 둘째, 이러한 발달순서는 어떤 학생에게서나 동일하게 나타나는 [㉣]을(를) 전제한다.

Answer

324 ㉠ 미시체계 ㉡ 중간체계 ㉢ 거시체계
325 ㉠ 도식 ㉡ 바꾸는(변화시키는) ㉢ 순서성 ㉣ 보편성

326 〈 인지적 영역의 발달　　　　●○○

피아제의 인지발달이론에서는 아동의 발달과정을 감각운동기, 전조작기, 구체적 조작기, 형식적 조작기로 구분한다. 이때 전조작기 아동의 특징은 다음과 같다. 첫째, 가역성·동일성·상보성 등 [　　㉠　　] 을(를) 획득하지 못한다. 둘째, 타인의 생각·감정을 자신과 동일하다고 믿는 [　　㉡　　] 이(가) 강하다. 한편, 형식적 조작기 아동의 특징은 다음과 같다. 첫째, 속담의 속뜻과 같이 눈에 보이지 않는 개념을 이해하는 [　　㉢　　] 사고를 할 수 있다. 둘째, 한 문제에 대해 가설을 설정하고 이를 검증하기 위해 자료를 수집하는 [　　㉣　　] 추리를 할 수 있다.

327 〈 인지적 영역의 발달　　　　●●○

비고츠키의 인지발달이론에서는 사회적 상호작용을 통해 근접발달영역에 있는 내용을 학습할 수 있다고 본다. 이때 근접발달영역이란 [　　　　㉠　　　　] 을(를) 의미한다. 이 영역의 학습내용을 학습하기 위해서 비계 설정이 강조되는데, 그 구체적 유형은 다음과 같다. 첫째, [　　㉡　　] (이)다. 교사가 직접 시범을 보이거나 성공 사례를 보여주어 비경험에 따른 불안감을 제거해 준다. 둘째, [　　㉢　　] (이)다. 문제를 해결하기 위해 생각한 학습 수행과정을 말로 표현하게 하고 이에 대해 피드백을 해준다. 셋째, [　　㉣　　] (이)다. 학습내용을 기억하는 방법이나 힌트를 제공한다.

328 〈 인지적 영역의 발달　　　　●●○

피아제와 비고츠키의 인지발달이론의 차이점은 다음과 같다. 첫째, 지식의 구성 측면에서 피아제는 학습자 스스로 자신의 도식을 수정하면서 지식이 구성된다고 본 반면, 비고츠키는 [　　㉠　　] 을(를) 통해 지식이 구성된다고 보았다. 둘째, 발달과 학습의 관계 측면에서 피아제는 발달이 [　㉡　] 되어야 학습이 이루어진다고 본 반면, 비고츠키는 학습을 통해 발달이 이루어진다고 보았다. 셋째, 언어의 역할 측면에서 피아제는 혼잣말이 [　㉢　] 을(를) 보여주는 표상이라고 본 반면, 비고츠키는 문제해결을 위한 [　㉣　] 의 도구라고 보았다.

329 〈 성격 발달

프로이드에 따르면 인간의 정신은 항상 지각하고 있는 의식, 현재는 의식되지 않지만 약간의 노력으로 떠올릴 수 있는 전의식, 노력하여도 쉽게 인식되지 않는 [㉠](으)로 구성되어 있다. 또한, 성격은 충동과 관련한 [㉡], 욕구를 통제하는 [㉢], 사회적 가치와 도덕이 내면화된 초자아로 구성되어 있다. 한편, 프로이드는 인간의 성적 에너지인 [㉣](이)가 신체의 특정 부위에 집중되면서 욕구가 발현되고, 그 욕구가 충족되었는지 여부에 따라 성격이 발달한다고 본다.

330 〈 성격 발달　　　　●●○

에릭슨은 생애주기별로 경험하는 심리사회적 위기를 해결하는 과정에서 성격이 발달한다고 보면서 성격 발달단계를 8단계로 구분하였다. 제시문에서 A 학생은 교사의 인정을 받으면서 칭찬 스티커판을 채우는 데 집중하고 있으므로 [㉠] 단계에 해당한다. 이 단계의 학생은 인지적 기술과 사회적 기술을 습득하고 이에 숙달하려고 노력하는 특징을 가진다. 한편, B 학생은 자신만의 색깔을 찾으려고 노력하므로 [㉡] 단계에 해당한다. 이 단계의 학생은 이전 단계에서 자신이 경험했던 심리사회적 위기가 [㉢]되는 특징을 가진다.

331 〈 성격 발달　　　　●●●

마샤의 이론에 따르면 정체성 상태를 판별하는 기준은 다음과 같다. 첫째, 과업에 대한 [㉠] 여부이다. 학생이 현재 어떤 일에 몰두하고 있는지에 따라 정체성의 상태가 결정된다. 둘째, 정체성과 관련한 [㉡] 경험 여부이다. 학생이 정체성을 갖기 위해 고민하고 있는지에 따라 정체성의 상태가 결정된다. 제시문의 A 학생은 자신의 꿈과 끼를 찾기 위해 고민하며 위기를 경험하고 있지만, 아직 무엇을 할지 결정하지 못해 과업에 전념하고 있지는 않으므로 정체성 지위 상태는 [㉢]에 해당한다. 한편, B 학생은 별다른 고민 없이 시키는 대로만 열심히 전념하고 있으므로 정체성 지위 상태는 [㉣]에 해당한다.

Answer

326 ㉠ 보존 개념 ㉡ 자아중심성 ㉢ 추상적 ㉣ 가설 연역적 추리

327 ㉠ 실제적 발달 수준과 잠재적 발달 수준의 차이 / 혼자서는 해결할 수 없지만 타인의 도움을 통해 해결할 수 있는 영역 ㉡ 모델링 ㉢ 소리 내어 생각하기 ㉣ 길잡이와 힌트

328 ㉠ (사회적) 상호작용 ㉡ 선행 ㉢ 미성숙함 ㉣ 사고

329 ㉠ 무의식 ㉡ 원초아 ㉢ 자아 ㉣ 리비도

330 ㉠ 근면성 대 열등감 ㉡ 정체감 대 역할 혼미 ㉢ 반복

331 ㉠ 전념 ㉡ 위기 ㉢ 정체성 유예 ㉣ 정체성 유실(폐쇄)

332 〈 사회성 발달

사회성이란 의사소통능력, 공동체의식, 준법의식과 같이 사회 속에서 타인과의 공동생활에 잘 적응하는 개인의 소질이나 능력이라 할 수 있다. 사회성 발달에 영향을 미치는 요인은 다음과 같다. 첫째, [㉠   ](이)다. 아동은 가족과의 상호작용을 통해 기본적인 의사소통능력 등을 습득하게 된다. 둘째, [㉡   ](이)다. 아동은 이들과의 공동활동을 통해 협동심, 포용성 등을 함양하게 된다. 셋째, [㉢   ](이)다. 아동은 이들의 지시와 통제를 받으면서 규범의 중요성을 학습하게 된다.

333 〈 사회성 발달　　●○○

셀만이 제시한 사회적 조망수용능력이란 [㉠   ] 을(를) 의미한다. 셀만은 사회적 조망수용능력의 발달단계를 크게 5단계로 구분한다. 제시문의 A 학생의 경우, 정보를 알고 모르고에 집중하면서 자신의 주관에 근거하여 판단했으므로 이는 [㉡   ] 단계에 해당한다. 반면, B 학생의 경우 선생님이나 다른 친구들의 관점에서 판단했으므로 [㉢   ] 단계에 해당한다.

334 〈 사회성 발달　　●●●

사회정서능력의 구성 요소는 다음과 같다. 첫째, [㉠   ]에 대한 이해이다. 이는 자신의 감정을 인식하는 자기인식, 자신의 감정을 관리하는 자기관리를 포함한다. 둘째, [㉡   ]에 대한 이해이다. 이는 타인의 관점을 이해하고 공감하는 사회적 인식, 협력적 의사소통을 기반으로 갈등을 해결하는 관계 기술을 포함한다. 셋째, 사회에 대한 이해이다. 이는 윤리적 기준과 사회적 규범에 기반하여 [㉢   ] 있는 의사결정을 내리는 능력을 포함한다. 이러한 사회정서능력은 공동체생활 속에서 학생이 잘 적응하고 [㉣   ](으)로 성장하기 위해 중요하다.

335 〈 도덕성 발달

콜버그는 도덕적 딜레마 상황을 제시하고 이 상황에서 어떤 행동을 왜 하는지에 따라 발달 순서를 3수준 6단계로 구분한다. 이 이론에 근거할 때 A 학생은 친구에게 욕을 먹는 것을 피하고 칭찬을 받기 위해 행동하므로 [　　　　　㉠　　　　　]에 해당한다. 반면, B 학생은 학교의 절대적인 교칙을 강조하므로 [　　　　　㉡　　　　　]에 해당한다. 이 이론은 딜레마 상황에 대해 토의·토론하는 과정을 제시함으로써 [　　　　　㉢　　　　　]의 중요성을 제시했다는 의의를 지닌다. 반면, 한 학생의 반응은 단계별로 명확하게 구분되기보다는 여러 단계에 걸쳐서 나타날 수 있는데, 이를 설명하지 못한다는 한계를 지닌다.

336 〈 도덕성 발달

콜버그의 도덕성 발달이론을 비판하면서 등장한 길리건은 배려의 윤리를 강조하는데, 이때 배려의 윤리란 타인에 대한 [　　　　　㉠　　　　　]을(를) 포괄한다. 이 이론에서는 도덕성 발달단계를 3수준 2전환기로 제시하는데, 그 3가지 수준은 다음과 같다. 첫째, 수준 1은 자신의 이익과 생존에 몰두하는 [　　㉡　　](이)다. 둘째, 수준 2는 자신의 욕구를 억제하고 타인에 대한 배려와 책임감을 강조하는 [　　㉢　　](이)다. 셋째, 수준 3은 개인의 권리주장과 타인에 대한 책임 간에 조화를 이루는 [　　㉣　　](이)다.

Answer

332 ㉠ 가정환경 ㉡ 또래집단 ㉢ 교사
333 ㉠ 타인의 입장에서 자신의 행동을 바라보면서 타인의 의도, 태도, 감정 등을 추론하는 능력 ㉡ 주관적 조망 수용 ㉢ 상호적 조망 수용
334 ㉠ 자신 ㉡ 타인 ㉢ 책임감 ㉣ 전인적
335 ㉠ 착한 아이 지향 단계 ㉡ 사회질서와 권위 지향 단계 ㉢ 토론식 도덕 교육
336 ㉠ 배려, 연민, 책임감, 동정심, 유대감 등 ㉡ 자기지향 ㉢ 자기희생으로서의 선 ㉣ 비폭력 도덕성

Chapter 04 　교수학습의 이해

중요도 ○○○

---

337 행동주의 학습이론

행동주의 학습이론에서는 학습이란 경험의 결과로 나타나는 행동의 ⟨　　㉠　　⟩ 변화라고 정의한다. 이러한 행동주의 학습이론의 기본 가정은 다음과 같다. 첫째, 학습원리는 인간과 동물에 모두 적용 가능하다는 ⟨　　㉡　　⟩을(를) 전제한다. 둘째, 인간의 행동은 복잡하지만 ⟨　㉢　⟩이(가) 가능하다고 전제한다. 셋째, 인간의 행동은 ⟨　　㉣　　⟩에 따라 변화·수정 가능하다고 전제한다.

---

338 행동주의 학습이론

손다이크는 초기에 실패하더라도 반복과 교정을 통해 목표 달성이 가능하다고 보면서 시행착오설을 제시하였는데, 이 이론에서 제시된 학습원리는 다음과 같다. 첫째, ⟨　　㉠　　⟩(이)다. 행동의 결과가 만족스러울 때 행동을 지속·반복하려는 욕구가 발생한다. 둘째, ⟨　　㉡　　⟩(이)다. 모든 학습은 꾸준한 반복의 결과로 목표에 도달할 수 있다. 셋째, ⟨　㉢　⟩(이)다. 사전에 충분히 준비된 학습활동은 만족스러운 결과를 발생시킨다.

---

339 행동주의 학습이론

●○○

파블로프로 대표되는 고전적 조건형성이론과 스키너로 대표되는 조작적 조건형성이론의 차이점은 다음과 같다. 첫째, 행동의 성질 측면에서 고전적 조건형성이론에서는 의지와 상관없이 자동으로 튀어나오는 ⟨　㉠　⟩ 행동을 다루는 반면, 조작적 조건형성이론에서는 목적 달성을 위해 스스로 선택하고 통제하는 의도적 행동을 다룬다. 둘째, 자극과 반응의 순서 측면에서 고전적 조건형성이론에서는 자극이 먼저 주어지고 반응이 추출되는 반면, 조작적 조건형성이론에서는 반응이 먼저 ⟨　㉡　⟩되고 그 행동의 결과로 자극이 주어진다. 한편, 조작적 조건형성이론에서 가정하는 학습원리는 다음과 같다. 첫째, ⟨　㉢　⟩(이)다. 행동의 결과가 만족스러운 경우 그 행동은 반복된다. 둘째, ⟨　㉣　⟩(이)다. 일정한 반응 뒤에 강화가 주어지지 않으면 반응은 소멸한다.

340 〈 행동주의 학습이론

행동주의 학습이론에서는 강화를 통해 행동을 증가시킬 수 있다고 본다. 이때 강화의 유형은 다음과 같다. 첫째, [㉠   ](이)다. 이는 어떤 행동에 대해 좋은 결과를 제공하는 것을 의미한다. 둘째, 부적 강화이다. 이는 싫어하는 것을 [㉡   ]하여 행동을 증가시키는 것을 의미한다. 한편, 강화 시에는 프리맥의 원리를 활용할 수 있는데, 이는 바람직하지만 학습자가 좋아하지 않는 행동을 강화할 필요가 있는 경우, [㉢   ]을(를) 통해 좋아하지 않는 행동을 유발하는 것이다.

341 〈 행동주의 학습이론

효과적인 강화계획의 사용을 통해 바람직한 행동을 유도할 수 있다. A 교사는 20분이라는 고정된 시간에 따라 칭찬 스티커를 제공할 계획인데, 이러한 강화계획을 [㉠   ](이)라 한다. 이러한 강화계획은 정해진 시간에 보상을 받게 되면 어차피 다음 보상은 그 시간이 되어야 받겠다는 생각에 강화된 행동을 감소시키는 강화 후 [㉡   ](이)가 발생한다는 한계를 지닌다. 한편, B 교사는 발표 횟수를 변화시키면서 칭찬을 할 계획인데, 이러한 강화계획을 [㉢   ](이)라 한다. 이러한 강화계획은 학생들이 강화된 행동을 몇 번 해야 보상을 받는지 알지 못해 소거에 대한 저항이 일어나 반응의 [㉣   ]이(가) 증가한다.

342 〈 행동주의 학습이론

행동주의 학습이론에서는 처벌을 통해 행동을 감소시킬 수 있다고 본다. 이때 처벌의 유형은 다음과 같다. 첫째, [㉠   ](이)다. 어떤 행동에 대해 좋지 않은 결과를 제공하여 행동을 감소시킨다. 둘째, [㉡   ](이)다. 좋아하는 것을 제거하여 행동을 감소시킨다. 처벌은 바람직하지 않은 행동을 [㉢   ]한다는 점에서 순기능을 가지나, 학습자에게 [㉣   ]을(를) 유발하여 정서 발달에 악영향을 줄 수 있다는 점에서 역기능을 갖는다.

Answer

337 ㉠ 비교적 영속적인 ㉡ 대응 가능성 ㉢ 예측 ㉣ 환경의 조절
338 ㉠ 효과의 원리 ㉡ 연습의 원리 ㉢ 준비성의 원리
339 ㉠ 불수의적 / 반사적 / 정서적 ㉡ 방출 ㉢ 강화의 원리 ㉣ 소거의 원리
340 ㉠ 정적 강화 ㉡ 제거 ㉢ 좋아하는 행동
341 ㉠ 고정간격 강화계획 ㉡ 휴지기 ㉢ 변동비율 강화계획 ㉣ 지속성
342 ㉠ 정적 처벌 ㉡ 부적 처벌 ㉢ 교정 / 소거 / 제거 ㉣ 스트레스 / 공포심

343 〈 행동주의 학습이론

조작적 조건형성이론에서는 행동이 수정되는 과정을 암시·연쇄·조형 등을 통해 설명하는데, 각각의 개념은 다음과 같다. 첫째, 암시란 강화를 받을 수 있는 행동에 대한 단서인 [　　⑦　　]을(를) 안내·제공하는 활동을 의미한다. 둘째, 연쇄란 학습자가 할 수 있는 행동을 [　　⑥　　](으)로 연결하는 것을 의미한다. 셋째, 조형이란 목표행동을 학습자가 할 수 [　⑥　] 경우, 목표행동에 도달하기 위한 행동을 단계화하여 단계별로 보상을 제공하는 것을 의미한다.

344 〈 행동주의 학습이론　　　　　　　　　　　　　　　　　　　　●●○

반두라는 관찰학습에서 모델링이 발생하는 과정을 다음의 4단계로 제시한다. 첫째, [　　⑦　　](이)다. 학습자가 모델의 행동에 관심을 갖는다. 둘째, [　　⑥　　](이)다. 관찰한 모델의 행동이 언어화, 시각화되어 학습자의 머릿속에 저장된다. 셋째, [　　⑥　　](이)다. 저장된 모델의 행동을 학습자가 그대로 시연한다. 넷째, [　　②　　](이)다. 재생한 행동에 대해 강화를 기대한다.

345 〈 인지주의 학습이론

행동주의 학습이론과 인지주의 학습이론의 차이점은 다음과 같다. 첫째, 학습관 측면에서 행동주의는 경험의 결과로 나타나는 가시적인 행동의 변화를 학습으로 보는 반면, 인지주의는 직접적 경험이 아니더라도 나타나는 [　　⑦　　]의 변화를 학습으로 본다. 둘째, 학습자관 측면에서 행동주의는 학생을 환경이 주는 자극에 따라 행동하는 [　　⑥　　]인 존재로 보는 반면, 인지주의는 학생을 정보에 주의를 기울이고 의미를 부여하며 기억 속에 조직화하는 능동적인 존재로 본다. 셋째, 교사의 역할 측면에서 행동주의는 교사를 목표행동을 세분화하고 학생들에게 강화물을 제공하여 올바른 행동을 정착시키는 환경의 [　　⑥　　](으)로 보는 반면, 인지주의는 교사를 학생이 새로운 정보를 기존의 지식과 잘 연결하도록 돕는 인지적 조력자로 본다.

346 ⟨ 인지주의 학습이론　●○○

인간의 기억과정을 컴퓨터에 비유하는 정보처리이론에 근거할 때, 감각등록기는 눈·귀 등 감각 수용기관을 통하여 정보를 최초로 저장하는 것으로, [　　㉠　　] 시간 동안 정보를 기억한다는 특징을 가진다. 이러한 감각등록기에서 발생하는 정보처리과정은 다음과 같다. 첫째, [　　㉡　　] (이)다. 이때는 감각 수용기관으로 들어오는 모든 자극에 신경을 쓰는 것이 아니라 특정한 자극에만 관심을 기울인다. 둘째, 지각이다. 과거 경험, 지식, 동기 등의 요인을 토대로 자극을 [　　㉢　　] 하고 의미를 부여한다. 감각등록기에서는 칵테일파티 효과가 발생하는데, 이는 시끄러운 상황에서도 자신과 관련된 정보는 [　　㉣　　] 들리는 인지적 능력을 의미한다.

347 ⟨ 인지주의 학습이론

인간의 기억과정을 컴퓨터에 비유하는 정보처리이론에 근거할 때, 작업기억은 새로운 정보를 조작하여 저장하거나 행동적 반응을 하는 것으로, 10~20초 동안 약 [　　㉠　　] 내외의 정보를 저장할 수 있다는 특징을 가진다. 이러한 작업기억에서 발생하는 정보처리과정은 다음과 같다. 첫째, [　　㉡　　](이)다. 이는 작업기억에 들어온 정보를 있는 그대로 지속적으로 반복처리하는 과정이다. 둘째, [　　㉢　　] (이)다. 이는 새로운 정보를 장기기억에 표상하는 과정을 의미한다.

348 ⟨ 인지주의 학습이론　●●●

정보를 지각하고 이해하고 기억하는 과정을 설명한 정보처리이론에 따르면, 부호화는 새로운 정보를 학습자에 맞게 표상화하면서 장기기억으로의 [　　㉠　　]을(를) 돕는 효과가 있다. 부호화를 촉진하는 방법은 다음과 같다. 첫째, [　　㉡　　](이)다. 새로운 정보와 이미 장기기억에 저장된 기존 정보를 연결시킨다. 둘째, [　　㉢　　](이)다. 새로운 정보가 여러 가지인 경우 공통 범주로 묶어서 기존 정보와 연결한다. 셋째, [　　㉣　　](이)다. 새로운 정보를 텍스트가 아닌 그림으로 표상화하여 기억한다.

Answer

343　㉠ 변별 자극　㉡ 순서적　㉢ 없는
344　㉠ 주의집중　㉡ 파지　㉢ 재생산　㉣ 동기화
345　㉠ 인지구조　㉡ 수동적　㉢ 통제자
346　㉠ 아주 짧은 / 4초 이내　㉡ 주의집중　㉢ 해석　㉣ 또렷하게 / 분명하게 / 잘
347　㉠ 7개　㉡ 시연　㉢ 부호화
348　㉠ 파지 / 저장　㉡ 정교화　㉢ 조직화　㉣ 심상화

349 인지주의 학습이론

개인의 인지처리과정을 스스로 통제하기 위해 메타인지를 활용할 수 있다. 메타인지란 인지과정 전체를 [　　　⑤　　　]하는 정신활동을 의미한다. 이러한 메타인지와 관련하여 플라벨이 제시한 지식은 다음과 같다. 첫째, [　　ⓛ　　](이)다. 자신의 강·약점, 성향 등 학습자로서의 특성을 스스로 이해하는 지식을 의미한다. 둘째, [　　ⓒ　　](이)다. 과제의 난이도, 요구 조건 등 과제의 성격을 스스로 이해하는 지식을 의미한다. 셋째, [　　ⓔ　　](이)다. 과제를 수행하기 위해 어떤 전략이 자신에게 효과적인지 이해하는 지식을 의미한다.

350 인지주의 학습이론

이전에 학습한 내용을 일시적 또는 영속적으로 떠올리지 못하는 망각의 주요 유형 중, 쇠퇴란 시간이 지남에 따라 기억의 흔적이 사라지는 것으로 [　　　⑤　　　]에서 발생한다. 치환이란 기억용량의 한계 때문에 새로운 정보가 이전의 정보를 밀어내 대신 자리를 차지하는 것으로, [　　ⓛ　　]에서 발생한다. 한편, 장기기억에서 발생하는 간섭의 종류는 다음과 같다. 첫째, [　　ⓒ　　](이)다. 새로운 정보가 기존의 정보의 기억을 방해하는 것을 의미한다. 둘째, [　　ⓔ　　](이)다. 기존의 정보가 새로운 정보의 기억을 방해하는 것을 의미한다.

351 ⟨ 인지주의 학습이론

학습에서 전이란 선행학습이 새로운 학습에 영향을 주는 것 또는 학습내용을 다른 상황에 [㉠] 하는 것을 의미한다. 학습의 전이에 영향을 미치는 요인은 다음과 같다. 첫째, [㉡](이)다. 이전에 배운 내용에 대한 이해도와 숙지도가 높으면 이후의 학습을 촉진할 수 있다. 둘째, 학습 간 [㉢] 정도이다. 이전에 배운 내용과 새롭게 배운 내용이 비슷할수록 전이가 촉진될 수 있다. 셋째, 학습 간 시간 격차이다. 내용을 학습할 때와 이것을 적용하는 상황 간의 시간이 [㉣] 전이가 촉진될 수 있다.

352 ⟨ 효과적인 교수

교사효능감이란 교사에게 부여된 업무를 수행하기 위하여 필요한 [㉠] 을(를) 의미한다. 교사효능감의 유형은 다음과 같다. 첫째, [㉡](이)다. 이는 가르치는 행위에 대한 효능감으로, 교사라는 직업이 학생들을 변화시킬 수 있다는 믿음을 의미한다. 둘째, [㉢](이)다. 이는 자기 자신이 학생들을 변화시킬 수 있다는 믿음을 의미한다. 교사효능감이 중요한 이유는 교사효능감이 높으면 학생들이 학업에 실패하는 경우에 교사가 끊임없이 [㉣] 을(를) 개선할 수 있는 유인으로 작용하기 때문이다.

---

349 ㉠ 계획, 점검·조절, 평가 ㉡ 개인 지식 ㉢ 과제 지식 ㉣ 전략 지식
350 ㉠ 감각등록기 및 작업기억 ㉡ 작업기억 ㉢ 역행간섭 ㉣ 순행간섭
351 ㉠ 적용 ㉡ 선수학습 수준 ㉢ 유사성 ㉣ 짧을수록
352 ㉠ 다양한 능력에 대한 교사의 믿음 ㉡ 일반적 교사효능감 ㉢ 개인적 교사효능감 ㉣ 자신의 수업

Chapter 05 생활지도 및 상담

중요도 ○○○

353 생활지도와 진로지도의 기본적 이해

학생이 삶에서 직면하는 여러 가지 문제를 스스로 해결하고 극복할 수 있도록 지원하는 생활지도의 기본원리는 다음과 같다. 첫째, [㉠   ]의 원리이다. 생활지도는 모든 인간을 존중하고 그들의 의견을 수용하여야 한다. 둘째, [㉡   ]의 원리이다. 생활지도의 목적은 학습자 스스로 문제를 해결할 수 있는 능력을 함양시키는 데 초점을 두어야 한다. 셋째, 적응의 원리이다. 생활지도는 학생이 실제 생활에 원만하게 적응할 수 있도록 조력해 주어야 한다. 넷째, [㉢   ] 의 원리이다. 생활지도도 교육의 일환으로서 학생이 궁극적으로 자아를 실현할 수 있도록 도와야 한다.

354 생활지도와 진로지도의 기본적 이해

●○○

다양한 방식을 활용하여 진로지도의 효과성을 높일 수 있다. A 교사는 지난 학기까지 진로체험처를 방문하는 지도방식을 적용했는데, 이러한 방식의 단점은 다음과 같다. 첫째, 일회적 행사성 진로지도로 인해 학생들의 진로설계능력을 [㉠   ](으)로 함양하기 곤란하다. 둘째, 학교 밖 공간에서 진로지도가 이루어짐에 따라 학생들이 [㉡   ]에 노출되거나 교사의 통제범위를 벗어나는 상황이 나타날 수 있다. 한편, A 교사는 교과수업과 연계한 진로지도를 실시하려고 하는데, 교과연계 진로지도란 학교 교육과정에서 운영하고 있는 교과 수업시간과 학교 진로교육의 [㉢   ]을(를) 자연스럽게 연계한 것으로, 진로교육 관련 내용이 반영된 교과수업을 의미한다. 이러한 방법은 일상적인 교과 수업시간을 활용하므로 [㉣   ](이)고 지속적인 진로탐색을 가능하게 한다.

355 생활지도이론

●○○

홀랜드는 사람의 성격을 6가지로 유형화하고 이에 적합한 진로를 제시하는데, A 학생은 사람과 함께 일하거나 가르치는 것을 좋아하므로 [㉠   ]에 해당한다. 한편, 크럼볼츠는 계획된 우연을 통해 진로를 설명하는데, 계획된 우연이란 예기치 않은 우연적 사건들이 [㉡   ]을(를) 통해 기회로 전환되고, 이렇게 발생한 기회가 진로에 긍정적 영향을 미치는 것을 의미한다. 계획된 우연을 형성하기 위한 행동특성은 다음과 같다. 첫째, [㉢   ](이)다. 예기치 못한 사건이 발생하여도 그 사건을 기회로 받아들일 수 있는 긍정적인 관점을 갖는다. 둘째, [㉣   ](이)다. 불확실한 결과에도 변화를 두려워하지 않는다.

356 〈 생활지도의 실제

「교원의 학생생활지도에 관한 고시」는 학생의 생활지도를 위한 구체적 방식을 제시하고 있는데, 여기서 제시하는 훈육이란 학생의 바람직한 행동을 위하여 학생 행동을 [㉠]하는 적극적인 지도행위를 의미한다. 훈육의 대표적 방법으로 학생을 수업 내·외 공간으로 이동시키는 분리가 있는데, 분리는 수업을 방해하는 행위를 즉각적으로 중지시킬 수 있다는 장점이 있지만, 수업 외의 공간으로 이동시키는 경우 분리 학생의 [㉡]을(를) 침해할 수 있다는 단점이 있다. 한편, 생활지도 방식으로 훈계도 있는데, 훈계란 학생이 훈육 등으로 자신의 잘못을 인정하지 않거나 언행의 개선이 없는 경우 학생의 잘못을 [㉢] 하는 지도방식을 의미한다.

357 〈 학생상담

내담자가 갖는 정신적·행동적 문제를 해결하는 것을 도와주는 상담의 기본 요건은 다음과 같다. 첫째, [㉠](이)다. 어떤 상황에 있는 내담자라도 그를 한 인간으로서 존중하면서 내담자의 상황, 특성, 행동을 있는 그대로 받아들인다. 둘째, [㉡](이)다. 상담자는 내담자의 입장에서 내담자를 이해한다. 셋째, [㉢](이)다. 상담자는 진실되고 솔직한 자세를 취하며 상담자의 내적 경험과 외적 행동을 일치시킨다. 넷째, [㉣] 형성이다. 내담자와 상담자 간에 서로 신뢰하면서 감정적으로 친근함을 느끼도록 한다.

VI

교육행정

Chapter 01 교육행정 총론

중요도 ○○○

358 교육행정의 의의

A 교사는 교육부나 교육청이 학교현장을 지원하는 역할을 해야 한다고 강조하는데, 이러한 교육행정의 성격을 [　　ㄱ　　] 성격이라 한다. 한편, B 교사의 의견과 관련하여 교육행정을 실천할 때 추구해야 하는 원리는 다음과 같다. 첫째, [　　ㄴ　　]의 원리이다. 교육행정의 주체는 학교이고, 학교 안에서 의사결정은 구성원들의 자유로운 참여와 의견 개진을 통해 이루어져야 한다. 둘째, [　　ㄷ　　]의 원리이다. 학교가 가진 예산과 자원은 한정되어 있으므로 목적달성을 위한 최적의 비용과 노력을 투입해야 한다. 셋째, [　　ㄹ　　]의 원리이다. 교육행정은 공적 목적 달성을 위한 것이므로 「초·중등교육법」 등을 준수해서 전개되어야 한다.

359 교육행정이론의 발달

●○○

베버가 제시한 관료제란 합법적 권위를 바탕으로 하는 [　　ㄱ　　]을(를) 의미한다. 관료제는 여러 특징들을 지니는데, 학교가 가진 관료제로서의 특성은 다음과 같다. 첫째, [　　ㄴ　　](이)다. 학교는 교장-교감-부장-교사로 이어지는 위계적 구조를 지닌다. 둘째, [　　ㄷ　　](이)다. 학교 조직은 개별 부서로 나뉘고 개별 부서 안에서 구성원들은 각자의 교과, 업무를 담당한다. 셋째, [　　ㄹ　　](이)다. 업무는 온·오프라인을 통해 문서로 보고하고 결재를 받는 구조로 진행된다.

360 〈 교육행정이론의 발달

효과적인 조직 운영을 위한 이론적 기반은 크게 과학적 관리론과 인간관계론으로 구분된다. 양 이론의 차이점은 다음과 같다. 첫째, 추구하는 가치 측면에서 과학적 관리론은 최소 비용으로 목적을 달성하고자 하는 [㉠]을(를) 강조하나, 인간관계론은 구성원의 참여·의견 반영 등을 통해 목적을 달성하고자 하는 [㉡]을(를) 강조한다. 둘째, 조직의 형태 측면에서 과학적 관리론에서는 하나의 최선의 조직이 될 수 있는 공식조직을 강조하나, 인간관계론에서는 조직 내에서 인간의 감정을 살피는 [㉢]을(를) 강조한다. 셋째, 동기유발의 측면에서 과학적 관리론에서는 성과급 제도 등 [㉣] 보상에 의한 동기유발을 강조하나, 인간관계론에서는 따스한 태도·인적인 감화 등 내적 보상에 의한 동기유발을 강조한다.

361 〈 교육행정이론의 발달

행정에 대한 체제론적 접근이란 행정을 외부 환경과 끊임없이 에너지를 주고받으며 생존하는 유기체로 가정하면서 다양한 측면을 [㉠](으)로 접근하는 관점을 의미한다. 호이와 미스켈은 학교 체계를 투입·과정·산출로 보면서 과정에 영향을 주는 체제를 4가지로 보는데, 구조체제 외의 체제는 다음과 같다. 첫째, 교직원 간 또는 학생들이 공유하는 가치관인 [㉡](이)다. 둘째, 교직원 간의 관계, 교사와 학생의 관계 등 [㉢](이)다. 셋째, 교원의 능력과 기대, 학생·학부모의 요구와 기대 등 [㉣](이)다.

Answer

358 ㉠ 봉사적(조성적) ㉡ 민주성 ㉢ 효율성 ㉣ 합법성
359 ㉠ 이상적 행정체계 ㉡ 계층제 ㉢ 분업화 ㉣ 문서화
360 ㉠ 효율성 ㉡ 민주성 ㉢ 비공식조직 ㉣ 외(재)적
361 ㉠ 종합적 / 총체적 ㉡ 문화체제 ㉢ 정치체제 ㉣ 개인체제

Chapter 02 동기이론

중요도 ○○○

362 내용이론 ●○○

허즈버그는 직무동기를 발생시키는 요인을 동기요인과 위생요인을 통해 설명한다. 동기요인이란 충족되는 경우 [　　ㄱ　　]을(를) 주어 적극적 직무태도를 유발하는 요인을 의미한다. 반면 위생요인이란 충족되는 경우에도 직무에 대한 [　　ㄴ　　]만 제거할 뿐 직무동기를 유발하지는 않는 요인을 의미한다. 이러한 2요인이론은 구성원의 만족감이라는 [　　ㄷ　　]을(를) 고려해 동기를 유발하는 실질적 방안을 연구했다는 점에서 의의가 있지만, [　　ㄹ　　]에 따라 동기·위생요인이 달라 이론을 일반화하기에는 한계를 지닌다.

363 내용이론

매슬로우의 5가지 욕구를 생존, 관계, 성장 욕구로 단순화한 앨더퍼 이론의 특징은 다음과 같다. 첫째, 욕구가 순차적으로 발현된다는 매슬로우 이론과 달리, 앨더퍼 이론에서는 여러 가지 욕구의 [　　ㄱ　　]을(를) 인정한다. 둘째, 상위 욕구가 불충족된다고 하여도 하위 욕구가 발현되지 않는다는 매슬로우 이론과 달리, 앨더퍼는 하위 욕구로의 [　　ㄴ　　]을(를) 인정한다. 셋째, 하위 욕구가 충족된 이후에 상위 욕구가 나타난다는 매슬로우 이론과 달리 앨더퍼 이론은 하위 욕구가 [　　ㄷ　　] 상위 욕구가 발현될 수 있다고 본다.

364 과정이론 ●○○

브룸의 기대이론에서 동기유발 과정을 설명하는 3가지 요소는 다음과 같다. 첫째, [　　ㄱ　　](이)다. 노력이 업무성과를 가져올 것이라는 믿음을 의미한다. 둘째, [　　ㄴ　　](이)다. 업무성과가 바람직한 보상을 가져올 것이라는 믿음을 의미한다. 셋째, [　　ㄷ　　](이)다. 노력에 대한 결과로서 받게 될 보상에 대한 개인의 만족 정도를 의미한다.

365 〈 과정이론

브룸의 기대이론과 다른 포터와 롤러의 성과·만족이론의 특징은 다음과 같다. 첫째, 노력과 성과를 단편적 기대로 설명한 기대이론과 달리, 성과·만족이론에서는 노력이 성과로 이어지기 위해서 개인의 ⟦　　　ㄱ　　　⟧, 개인의 역할을 인지해야 한다고 본다. 둘째, 보상을 단편적으로 본 기대이론과 달리 성과·만족이론에서는 보상을 ⟦　　ㄴ　　⟧와(과) ⟦　　ㄷ　　⟧(으)로 구분한다. 셋째, 보상에 대한 만족 기대로 유인가를 설명한 기대이론과 달리, 성과·만족이론에서는 보상의 ⟦　　ㄹ　　⟧에 대한 지각을 바탕으로 만족도를 판단한다.

366 〈 과정이론

애덤스의 공정성이론에서는 자신이 타인에 비해 공정한 대우를 받고 있다고 느끼는 경우 직무동기가 유발된다고 본다. 이때 공정성을 판단하는 기준은 자신과 타인 간의 ⟦　　　ㄱ　　　⟧이(가) 공정한지 여부이다. 한편, 로크의 목표설정이론에서는 목표의 내용·강도에 따라 직무동기가 변경된다고 본다. 이때 직무동기를 성공적으로 유발하는 목표의 특징은 다음과 같다. 첫째, ⟦　　ㄴ　　⟧(이)다. 목표의 내용이 분명한 경우, 구체적 과업과 전략을 개발하기 용이하여 동기를 유발하게 된다. 둘째, ⟦　　ㄷ　　⟧(이)다. 목표의 강도가 도전적인 경우, 도전의식이 발생해 동기를 유발하게 된다. 셋째, ⟦　　ㄹ　　⟧(이)다. 목표의 내용과 강도가 개인에게 적합하다고 인정하면 목표달성을 위한 행동에 더욱 집중하게 된다.

Answer

362 ㄱ 만족(감) ㄴ 불만족 ㄷ 심리적 요인 ㄹ 개인차
363 ㄱ 동시 발생 가능성 ㄴ 퇴행 가능성 ㄷ 충족되지 않아도
364 ㄱ 기대치 ㄴ 수단성 ㄷ 유인가
365 ㄱ 능력과 특성 ㄴ 내재적 보상 ㄷ 외재적 보상 ㄹ 공정성
366 ㄱ 투입 대비 성과 ㄴ 구체성 ㄷ 도전성 ㄹ 수용 가능성

Chapter 03 지도성이론

중요도 ○○○

367 지도성에 대한 관점변화

교사 지도성이란 교실 내 목표를 달성하기 위해 [㉠   ](이)라 할 수 있다.
지도성에 대해 전통적으로 특성적 접근과 행동적 접근이 있는데, 각각의 특징은 다음과 같다. 첫째, 특성적
접근은 훌륭한 지도자가 가진 [㉡   ] 등이 무엇인가에 관심을 둔다. 둘째, 행동적 접근은
훌륭한 지도자가 보이는 행동이 무엇인가에 관심을 둔다. 그러나 전통적 접근은 [㉢   ]에 따라
효과적인 지도성의 형태가 달라지는 현실을 설명하지 못한다는 한계를 지닌다.

368 지도성에 대한 관점변화

오하이오 주립대학에서는 지도자의 행위를 구조중심과 배려중심으로 구분하는데, 각 행동의 특징은
다음과 같다. 첫째, 구조중심 행동은 [㉠   ]을(를) 중시하며 의사소통 경로를 체계화하는 것을
강조한다. 둘째, 배려중심 행동은 상호 신뢰를 중시하며 의사소통에 [㉡   ]하는 것을 강조한다.
한편, 교육조직은 학생의 성장이라는 과업이 불분명하고 협력을 통해 학생을 성장시키는 것이 중시되는
조직이므로 교육조직의 지도자는 [㉢   ] 구조중심 행동과 높은 배려중심 행동을 보인다. 따라서
교육조직 지도자에 해당하는 지도자 유형은 [㉣   ] 유형에 해당한다.

369 지도성에 대한 관점변화

●○○

관리망이론에서는 지도자의 성향을 생산에 대한 관심과 인간에 대한 관심으로 구분하여 5개의 지도자
유형을 제시한다. 이때 가장 바람직한 지도자의 유형은 [㉠   ]에 해당한다. 이러한 지도자가 보이는
행동상의 특징은 다음과 같다. 첫째, 목표설정 측면에서 개인의 목표와 조직의 목표를 [㉡   ]
하고자 한다. 둘째, 의사결정 측면에서 일방적으로 지시하기보다는 구성원들의 의견을 수렴하는
[㉢   ] 의사결정 체제를 운영한다. 셋째, 갈등관리 측면에서 양측의 의견을 모두 존중하면서
최선의 대안을 찾는 [㉣   ] 전략을 사용해 갈등을 도약의 기회로 삼는다.

---

370 | **지도성에 대한 관점변화** ●○○

피들러의 상황이론에서는 지도성을 지도자가 특정 상황에서 집단에 대하여 영향력을 행사하는 정도라고 보는데, 제시문의 A에 해당하는 것을 [　　　⑤　　　](이)라고 한다. 이것에 영향을 미치는 요인은 다음과 같다. 첫째, [　　　　ⓒ　　　　](이)다. 이는 지도자에 대한 구성원의 존경도, 신뢰로서 이것이 양호할수록 상황의 호의성 정도가 높다. 둘째, 과업 구조이다. 이는 과업이 구체적으로 [　　ⓒ　　]되어 있는 정도로서 이것이 구조화될수록 상황의 호의성 정도가 높다. 셋째, [　　ⓔ　　](이)다. 이는 임면권, 평가권 등 지도자에게 공식적으로 주어진 권력으로서 이것이 높을수록 상황의 호의성 정도가 높다.

---

371 | **지도성에 대한 관점변화** ●●○

허쉬와 블랜차드의 상황적 지도성이론에 따를 때 구성원의 성숙도에 영향을 미치는 요인은 다음과 같다. 첫째, [　　　⑤　　　](이)다. 이는 구성원이 가진 직무수행 능력, 지식, 기술 등을 의미한다. 둘째, 심리성숙도이다. 이는 구성원이 갖는 [　　　　ⓒ　　　　] 등을 의미한다. 이 이론에 근거할 때 각 학교에 적합한 지도성의 명칭과 행동상의 특징은 다음과 같다. 첫째, A 학교의 교사들은 직무성숙도가 낮지만 심리성숙도가 높아 [　　ⓒ　　] 지도성이 적합하다. 이러한 지도자는 과업과 관계중심 행동이 모두 높다는 특징을 지닌다. 둘째, B 학교의 교사들은 직무성숙도는 높지만 심리성숙도가 낮아 참여형 지도성이 적합하다. 이러한 지도자는 과업중심 행동은 [　　ⓔ　　] 관계중심 행동은 높다는 특징을 지닌다.

---

372 | **지도성에 대한 관점변화**

커와 저미어가 제시한 대용 상황과 억제 상황의 개념은 다음과 같다. 첫째, 대용 상황은 지도자의 지도성을 대신하여 [　　　⑤　　　]이(가) 구성원의 태도, 지각, 행동에 영향을 미치는 상황을 의미한다. 둘째, 억제 상황은 이는 지도자가 특정한 행동을 하지 못하게 하거나 효과를 [　　ⓒ　　]하는 상황을 의미한다. 한편, 구성원의 특성 외에 상황에 영향을 주는 변인은 다음과 같다. 첫째, [　　　ⓒ　　　](이)다. 과업의 구조화 여부, 만족감 부여 여부 등이 상황에 영향을 미친다. 둘째, [　　　ⓔ　　　](이)다. 조직 내 역할과 절차의 공식화 여부, 구성원과 지도자 간의 자리배치 등에 따라 상황이 변화한다.

Answer

367	⑤ 학생들에게 영향력을 행사하는 과정 ⓒ 인성, 동기, 기술 ⓒ 상황
368	⑤ 과업 수행 ⓒ 참여 ⓒ 낮은 ⓔ 인화지향적
369	⑤ 팀형 ⓒ 통합 ⓒ 참여적 ⓔ 협력
370	⑤ 상황의 호의성 ⓒ 지도자와 구성원의 관계 ⓒ 세분화 / 체계화 ⓔ 지위 권력
371	⑤ 직무성숙도 ⓒ 동기, 일에 대한 애착, 헌신 ⓒ 설득형 / 지원형 ⓔ 낮고
372	⑤ 다른 사람 / 타인 ⓒ 무력화 ⓒ 과업의 특성 ⓔ 조직의 특성

373 ⟨ 최근의 지도성이론 ●●●

배스가 제시한 변혁적 지도성이란 [⠀⠀⠀⠀⠀⠀⠀⠀⠀⠀⠀⠀⠀⊙⠀⠀⠀⠀⠀⠀⠀⠀⠀⠀⠀⠀⠀]을(를) 의미한다. 변혁적 지도성의 특징은 다음과 같다. 첫째, [⠀⠀⠀⠀⠀⠀ⓛ⠀⠀⠀⠀⠀⠀](이)다. 리더는 높은 도덕적·윤리적 기준을 바탕으로 행동하여 구성원들에게 존경과 신뢰를 받고, 그들이 닮고 싶어하는 동일시의 대상이 된다. 둘째, 영감적 동기화이다. 리더는 조직의 미래에 대한 매력적이고 명확한 [⠀⠀⠀ⓒ⠀⠀⠀]을(를) 설정하는 데 구성원을 참여시킨다. 셋째, [⠀⠀⠀⠀ⓔ⠀⠀⠀⠀](이)다. 리더는 구성원들이 기존의 관행이나 문제에 대해 새로운 시각으로 접근하고, 창의적이고 혁신적인 해결책을 스스로 찾아내도록 자극한다.

374 ⟨ 최근의 지도성이론 ●●○

변혁적 지도성과 거래적 지도성의 차이점은 다음과 같다. 첫째, 의사소통 방식의 측면에서 변혁적 지도성은 지도자와 구성원 간의 [⠀⠀⠀⊙⠀⠀⠀] 소통을 강조하나, 거래적 지도성은 지도자로부터의 수직적, 일방향 지시를 강조한다. 둘째, 보상 방식의 측면에서 변혁적 지도성은 칭찬·연수 등과 같은 [⠀⠀⠀ⓛ⠀⠀⠀] 보상을 강조하나, 거래적 지도성은 보수·승진과 같은 외적 보상을 강조한다. 셋째, 변화에 대한 태도 측면에서 변혁적 지도성은 변화에 [⠀⠀⠀ⓒ⠀⠀⠀](이)며 이를 주도적으로 이끌려고 하나, 거래적 지도성은 변화에 소극적이고 이를 [⠀⠀⠀ⓔ⠀⠀⠀]하고자 한다.

375 ⟨ 최근의 지도성이론 ●●○

구성원들이 자발적 지도성을 통해 스스로 지도자로 성장할 수 있도록 도와주는 지도성의 명칭을 [⠀⠀⠀⠀⠀⊙⠀⠀⠀⠀⠀](이)라 한다. 이러한 지도성이 학교조직에 미치는 긍정적 영향은 다음과 같다. 첫째, 구성원들이 리더로서 책임감을 가지고 자신의 업무를 끊임없이 혁신하려고 노력하므로 조직 전체의 [⠀⠀⠀ⓛ⠀⠀⠀]이(가) 증대된다. 둘째, 모든 교사를 리더로서 존중하고 상호작용이 촉진되므로 [⠀⠀⠀ⓒ⠀⠀⠀] 학교문화가 조성된다.

376 〈 최근의 지도성이론 ●●○

서지오반니는 교장의 지도성을 5개로 위계화한다. 이러한 위계화에 근거할 때 제시문의 A 교장과 같이 학교의 계획, 조직, 기간 관리 등을 강조하는 경영기술자로서 교장의 지도성을 [㉠   ] (이)라 한다. 반면, B 교장과 같이 교원에 대한 지원, 격려, 성장 기회를 제공하는 인간공학 전문가로서 교장의 지도성을 [㉡   ](이)라 한다. 한편, 서지오반니의 위계화 기준에 근거할 때 가장 높은 수준에 해당하는 지도성은 [㉢   ](이)며, 이때 교장은 [㉣   ](으)로서 교장으로, 독특한 학교문화를 창출하는 데 관심을 두고 학교 구성원의 공유된 가치·신념을 조성하여 구성원을 학교의 주인으로 성장시키는 특징을 지닌다.

377 〈 최근의 지도성이론 ●●●

서지오반니는 문화적 지도성을 발전시켜 도덕적 지도성을 제시하는데, 도덕적 지도성이란 [㉠   ]을(를) 바탕으로 구성원 각자를 리더로 성장시키는 지도성을 의미한다. 도덕적 지도성을 갖춘 교장의 특징은 다음과 같다. 첫째, 조직의 [㉡   ]와(과) 핵심 가치를 존중한다. 둘째, 전문직업인으로서 능력과 [㉢   ] 품성을 강조한다. 셋째, 일 자체에 대한 [㉣   ] 형성을 강조한다.

378 〈 최근의 지도성이론

제시문의 A 지도성은 지도성의 책임을 여러 사람과 공유하는 것에 초점을 두는데, 이러한 지도성을 [㉠   ](이)라 한다. 이는 구성원들에게 [㉡   ]을(를) 부여하여 학교가 직면한 복잡한 문제를 협력적으로 해결하는 데 긍정적 영향을 미친다. 반면, B 지도성은 다른 사람에게 강한 영향력을 미치는 지도자의 비범성에 초점을 두는데, 이러한 지도성을 [㉢   ](이)라 한다. 이는 학교폭력, 교권침해 등 학교현장에서의 위기가 심화되는 상황에서 리더의 확고한 태도와 능력을 통해 학교가 겪는 위기를 [㉣   ] 해결할 수 있다는 점에서 의의를 지닌다.

Answer

373 ㉠ 구성원들의 핵심 가치와 신념을 변화시키며 기대 이상의 성과를 내도록 영감을 주는 지도성 ㉡ 이상적인 완전한 영향력 / 카리스마 ㉢ 비전 ㉣ 지적 자극

374 ㉠ 수평적 / 쌍방향 ㉡ 내(재)적 ㉢ 적극적 ㉣ 회피

375 ㉠ 초우량 지도성 / 슈퍼 리더십 ㉡ 생산성 ㉢ 개방적인 / 협력적인

376 ㉠ 기술적 지도성 ㉡ 인간적 지도성 ㉢ 문화적 지도성 ㉣ 성직자

377 ㉠ 도덕성과 자율성 ㉡ 규범 ㉢ 도덕적 ㉣ 몰입감

378 ㉠ 분산적 지도성 ㉡ 책임감 ㉢ 카리스마 지도성 ㉣ 신속하게

Chapter 04 조직론

중요도 ○○○

379 조직의 기본적 이해

조직의 구성요소는 다음과 같다. 첫째, 조직에 참여하는 [　　ㄱ　　](이)다. 둘째, 조직의 과업수행을 통해 달성하고자 하는 구체적 [　　ㄴ　　](이)다. 셋째, 조직 내부에 존재하는 정형화된 관계인 [　　ㄷ　　](이)다.

380 조직 유형 및 학교조직

●●○

구성원끼리 공유하는 사적인 관심에 따라 조직되고 쌍방향 의사소통이 주로 이루어지는 비공식조직의 순기능은 다음과 같다. 첫째, 교사의 개별 관심사를 존중함에 따라 교사에게 [　　ㄱ　　]을(를) 주고 직무동기를 향상시킨다. 둘째, 쌍방향 의사소통을 통해 구성원 간 상호 이해도가 높아져 갈등이 [　　ㄴ　　]된다. 반면, 비공식조직의 역기능은 다음과 같다. 첫째, 개별 관심과 공식조직의 목표가 상이한 경우 공식조직의 [　　ㄷ　　]을(를) 저해할 수 있다. 둘째, 구성원끼리 업무 외적으로 친숙해지다 보면 [　　ㄹ　　]이(가) 형성되어 비공식조직 외 구성원과 갈등이 발생할 수 있다.

381 조직 유형 및 학교조직

조직을 기능성에 따라 분류하면 계선조직과 참모조직으로 구분된다. 먼저 계선조직이란 행정의 [　　ㄱ　　]에 따라 업무를 직접 수행하는 1차적 조직을 의미한다. 참모조직이란 계선조직의 기능을 원활하게 추진하도록 [　　ㄴ　　] 등의 기능을 수행하는 조직을 의미한다. 참모조직은 전문적 지식을 활용하여 계선조직을 [　　ㄷ　　]한다는 점에서 장점이 있으나, 참모조직의 의견이 지나친 경우 계선조직과 참모조직 간의 [　　ㄹ　　]을(를) 유발할 수 있다는 단점이 있다.

382 〉 조직 유형 및 학교조직

조직 유형을 연구한 학자들의 구분에 근거할 때 학교조직 유형의 명칭은 다음과 같다. 첫째, 파슨스에 따를 때 학교는 교육을 통해 사회의 문화를 보존, 전달하는 기능을 수행하므로 [㉠   ]에 해당한다. 둘째, 블라우와 스캇에 따를 때 학교는 주된 수혜자가 고객이며, 학생·학부모들에 교육적 서비스를 제공하므로 [㉡   ]에 해당한다. 한편, 칼슨의 조직 유형 구분에 근거할 때 우리나라의 일반계 공립 학교는 조직의 고객 선택권이 없고, 고객의 참여 결정권도 없으므로 [㉢   ]에 해당한다. 또한, 특수목적 고등학교는 조직의 고객 선택권과 고객의 참여 결정권 모두 존재하므로 [㉣   ]에 해당한다.

383 〉 조직 유형 및 학교조직 ●●●

A 교사는 학교가 전문적 특성을 지닌 전문적 관료제라고 보는데, 이때 학교의 교사는 교수학습과 관련해 상당한 [㉠   ]을(를) 가진다는 점에서 전문적 특성을 가진다고 볼 수 있다. 한편, B 교사는 학교조직이 일선 관료제라고 보는데, 일선 관료제란 현장의 최일선에서 시민과 직접 [㉡   ]하여 업무를 수행하는 공무원으로 구성된 관료제를 의미한다. 일선 관료제의 특징은 다음과 같다. 첫째, 정책 수혜자와 직접적으로 대면하면서 대인관계 기술이 강조되고 [㉢   ]에 시달린다. 둘째, 시민의 요구사항이 시시각각 달라지므로 [㉣   ]에 따라 업무를 수행한다.

384 〉 조직 유형 및 학교조직 ●○○

조직화된 무질서조직의 특징은 다음과 같다. 첫째, [㉠   ](이)다. 학교의 목표는 '행복한 학생이 꿈꾸는 교실'과 같이 비구체적이고 불분명한 경우가 많다. 둘째, [㉡   ](이)다. 교사가 교실에서 사용하는 수업기법 등은 불명확하고 상황과 사람에 따라 변화한다. 셋째, [㉢   ](이)다. 전보에 따라 학교를 이동하는 교사, 입·졸업에 따라 참여의 기한이 정해진 학생과 학부모 등 학교에 참여하는 구성원들은 참여가 유동적이며, 형태도 다양하다.

Answer

379 ㉠ 구성원 ㉡ 목표 ㉢ 사회적 구조 / 규범
380 ㉠ 심리적 안정감 / 편안함 ㉡ 예방 ㉢ 목표달성 ㉣ 파벌
381 ㉠ 수직적 지휘·명령 ㉡ 기획·자문·조언 ㉢ 보완 ㉣ 갈등
382 ㉠ 유형유지조직 ㉡ 봉사조직 ㉢ 사육조직 / 온상조직 ㉣ 야생조직
383 ㉠ 재량권 ㉡ 대면 / 상호작용 ㉢ 감정노동 / 스트레스 / 민원 ㉣ 비공식적인 규칙과 관행
384 ㉠ 불분명한 목표 ㉡ 불확실한 기술 ㉢ 유동적인 참여

 조직 유형 및 학교조직

와익은 학교조직이 이완조직이라고 보는데, 이완조직이란 하위조직들이 서로 분리·독립되어 있으면서 자신의 정체성을 보존하는 연결체로서 [⑦   ] 체제를 의미한다. 이완조직의 특성은 다음과 같다. 첫째, 구성원들은 업무수행에 있어서 [⑥]을(를) 지닌다. 둘째, 하위조직들은 서로 업무 간의 [⑦]을(를) 지닌다. 셋째, 업무가 전체의 목표 아래 중장기 동안 일관성·지속성 있게 추진되는 것이 아니라 1년 또는 특정 기간만 진행되는 [⑧]을(를) 지닌다.

 조직 유형 및 학교조직 ●●○

센지가 제시한 학습조직이란 구성원들의 지식욕구를 끊임없이 창출하고 창의적인 사고방식으로 전환시켜주며, 구성원들의 집단적 열망이 충만하여 [⑦](으)로 학습해 나가는 조직을 의미한다. 이러한 학습조직의 기본원리는 다음과 같다. 첫째, [⑥](이)다. 구성원들은 자신의 전문성을 향상시키기 위해 교육이나 외부활동에 스스로 참여한다. 둘째, [⑦](이)다. 구성원들은 개별적으로 가지는 미래 지향점을 공유하고 이를 발전시킨다. 셋째, [⑧](이)다. 구성원은 여러 사건을 전체적으로 인지하고 세부 요소들을 역동적으로 파악한다.

 조직 유형 및 학교조직 ●●●

최근 강조되는 전문적 학습공동체란 목표달성을 위해 끊임없이 학습하고 상호협동하여 구성원 간 [⑦]을(를) 이루려는 조직을 의미한다. 전문적 학습공동체가 학교에 미치는 긍정적 영향은 다음과 같다. 첫째, 상호 주제 연수를 통해 구성원 간 전문성을 공유하여 조직 전체의 [⑥]을(를) 향상시킨다. 둘째, 연구를 통해 새로운 지식을 공급하고 전문성을 함양시켜 변화하는 환경에 [⑦](으)로 대응하게 해준다. 셋째, 수업 공유 등을 통해 의사소통을 활성화하고 [⑧]을(를) 긍정적으로 개선한다.

388 〈 조직 문화 및 풍토

맥그리거는 인간의 본질에 대한 기본 가정을 두 가지로 구분하여 각 인간관에 바탕을 둔 관리자의 전략으로 X이론과 Y이론을 제시한다. 먼저 X이론에서는 인간이 일하기를 싫어하고 [㉠] 받는 것을 선호한다는 특징을 갖는다. 이에 기반한 관리전략은 성과에 따라 [㉡]을(를) 주는 통제전략이라는 특징을 갖는다. 반면, Y이론에서는 인간이 일에 대한 동기와 [㉢]을(를) 가지고 지시보다는 자율을 선호한다는 특징을 갖는다. 이에 기반한 관리전략은 구성원에게 [㉣]을(를) 부여하는 자율적 통제전략이라는 특징을 갖는다.

389 〈 조직 문화 및 풍토

아지리스의 미성숙–성숙이론에 근거할 때 미성숙한 조직과 성숙한 조직의 차이점은 다음과 같다. 첫째, 구성원 측면에서 미성숙한 조직은 구성원의 수동적 태도를 강조하는 반면, 성숙한 조직은 [㉠] 태도를 강조한다. 둘째, 목표설정 측면에서 미성숙한 조직은 단기적 목표설정에만 집중하는 반면, 성숙한 조직은 [㉡] 설정에 초점을 둔다. 셋째, 사회적 구조 측면에서 미성숙한 조직은 상부로부터의 지시와 통제중심의 엄격한 [㉢]을(를) 강조하나, 성숙한 조직은 자율과 참여중심의 수평적 구조를 강조한다.

390 〈 조직 문화 및 풍토 ●●○

세시아와 글리나우는 조직의 관심이 인간과 성과 중 무엇에 있는가에 따라 조직 문화를 4가지로 구분한다. A 학교는 대학 진학이라는 가시적인 성과에만 집중하고 있으므로 [㉠]에 해당한다. 이러한 문화는 구성원을 소모품으로 간주하고 높은 성과를 강요해 구성원들의 [㉡]이(가) 높다는 단점을 가진다. 반면, B 학교의 경우 관계와 복지라는 인간에만 집중하고 있으므로 [㉢]에 해당한다. 이러한 문화는 과업보다는 인간과의 관계 개선에만 집중하므로 조직 전체가 현실에 안주하고 조직의 [㉣]이(가) 하락할 수 있다.

Answer

385 ㉠ 느슨하게 결합된 ㉡ 재량권 ㉢ 독립성 ㉣ 단절성
386 ㉠ 지속적 ㉡ 자기 숙련 ㉢ 비전 공유 ㉣ 시스템적 사고
387 ㉠ 상호성장 ㉡ 생산성 ㉢ 능동적 / 주체적 / 적극적 ㉣ 조직문화
388 ㉠ 지시 ㉡ (외적) 보상 ㉢ 책임감 ㉣ 자율성
389 ㉠ 능동적 ㉡ 장기적 목표(비전) ㉢ 수직적 구조
390 ㉠ 실적 문화 ㉡ 스트레스 / 심리적 압박감 ㉢ 보호 문화 ㉣ 생산성

391 〈 조직 문화 및 풍토

스타인호프와 오웬스가 구분한 학교 문화 유형과 유형별 교장의 특징은 다음과 같다. 첫째, [⑦](이)다. 교장은 부모나 코치와 같은 애정적·협동적·보호적 태도를 보인다는 특징을 갖는다. 둘째, 기계 문화이다. 교장은 [ⓒ](으)로서 목표달성을 위해 교사를 이용한다는 특징을 갖는다. 셋째, 공연 문화이다. 교장은 단장, 사회자, 연기자로서 청중의 [ⓒ]을(를) 최우선시 한다는 특징을 갖는다. 넷째, [②](이)다. 교장은 자기 자리를 위해 무엇이든지 희생의 제물로 삼을 준비를 한다는 특징을 가진다.

392 〈 조직 문화 및 풍토

하그리브스가 제시한 학교문화의 유형을 구분하는 기준은 다음과 같다. 첫째, [⑦](이)다. 이는 학교의 목표달성을 위하여 교사와 학생에게 가하는 사회적 통제를 의미한다. 둘째, [ⓒ](이)다. 이러한 기준에 근거할 때 바람직한 학교문화는 [ⓒ](으)로서 일과 행동에 대해 높은 기대를 가지고 있으면서도 개인이 업무에 충실할 수 있도록 충분한 지원을 해주는 특징을 가진다.

393 〈 조직 문화 및 풍토

핼핀과 크로프트의 학교풍토론에 따를 때 학교풍토란 학생, 교사, 행정가들이 공유하는 가치관, 신념, 행동표준 등 [⑦]을(를) 의미한다. 이 이론에 근거할 때 각 학교의 학교풍토는 다음과 같다. 첫째, A 학교는 교장의 높은 추진력을 바탕으로 과업과 인간 모두 중시하므로 [ⓒ](이)다. 둘째, B 학교는 구성원 간 친밀도는 있지만 업무는 방임하므로 [ⓒ](이)다. 셋째, C 학교는 교장이 불필요한 업무만을 강조해 구성원들의 장애 인식도가 높고 업무는 방임하므로 [②] (이)다.

394 조직 문화 및 풍토

마일즈는 조직의 기능을 효과적으로 잘 수행하면서 발전과 성장을 지속하려고 노력하는 조직을 건강한 조직이라고 정의하면서 조직건강의 변인을 다음과 제시하였다. 첫째, [㉠](이)다. 목표가 분명하고 의사소통은 활발하며 권력은 적절히 분산되어 있다. 둘째, [㉡](이)다. 자원을 효율적으로 활용하며 조직의 응집력과 구성원의 사기가 높다. 셋째, [㉢](이)다. 혁신성과 자율성이 높으며 환경에 탄력적으로 적응하고 문제해결력이 높다.

395 조직 문화 및 풍토

윌로워가 학교 풍토를 분석하기 위해 사용한 기준은 [㉠](이)다. 이 기준에 따를 때 학교 풍토의 유형은 다음과 같다. 첫째, [㉡](이)다. 이 학교에서 교사는 학생들의 의견을 존중하면서 민주적인 방식으로 학생들을 통제한다. 둘째, [㉢](이)다. 이 학교에서 교사는 엄격한 규율과 체벌로 학생을 통제한다.

396 조직관리

학교 내 교사 간 갈등의 발생원인은 다음과 같다. 첫째, [㉠](이)다. 교사 간 가치관, 태도, 성격이 충돌할 때 갈등이 발생할 수 있다. 둘째, [㉡](이)다. 교사 간 의사소통 기회의 장이 부족하거나 왜곡되는 경우 갈등이 발생할 수 있다. 셋째, [㉢](이)다. 교장·감, 부장교사, 평교사로 내려오는 계층제적 권위와 교사 개별 전문성 간의 입장 차이에 따라 갈등이 발생할 수 있다.

Answer

391 ㉠ 가족 문화 ㉡ 기계공 ㉢ 반응 ㉣ 공포 문화
392 ㉠ 도구적 차원 ㉡ 표현적 차원 ㉢ 효과적 학교문화
393 ㉠ 내적 특성 / 심리적 특성 ㉡ 개방적 풍토 ㉢ 친교적 풍토 ㉣ 폐쇄적 풍토
394 ㉠ 과업달성 ㉡ 조직유지 ㉢ 성장발전
395 ㉠ 학교가 학생을 통제하는 방식 ㉡ 인간주의적 학교 ㉢ 보호지향적 학교
396 ㉠ 개인적 요인 ㉡ 의사소통상의 요인 ㉢ 조직구조상의 요인

397 조직관리 ●●●

학교조직 내에서 발생할 수 있는 갈등에는 순기능과 역기능이 있는데, 갈등의 순기능은 다음과 같다. 첫째, 갈등을 통해 조직의 문제를 겉으로 드러내고 이를 해결하는 과정에서 [　　　㉠　　　]이(가) 일어난다. 둘째, 갈등에 대응하는 과정에서 집단별·개인별 적극적인 의견표명이 나타남에 따라 학교가 [　　　㉡　　　](으)로 변모한다. 반면, 갈등의 역기능은 다음과 같다. 첫째, 갈등의 심화로 학교 분위기가 저해되는 경우 교사는 학교에 가는 것에 스트레스를 받고, 이로 인해 [　　　㉢　　　](이)가 하락한다. 둘째, 조직이 갈등에 집중하느라 업무에 소홀하게 되어 조직 전체의 [　　　㉣　　　](이)가 저하된다.

398 조직관리 ●●○

토마스는 자신의 욕구와 상대방의 욕구를 충족하는 정도에 따라 갈등관리 전략을 5가지로 구분하는데, 제시문의 상황별 적절한 갈등관리 전략은 다음과 같다. 첫째, 상황 1에서는 야외 활동이 위험해졌으므로 A 교사가 할 수 있는 전략은 [　　　㉠　　　](이)다. 이 전략은 자신의 욕구를 강하게 주장하고 타인의 욕구에 비협조적이라는 특징을 지닌다. 둘째, 상황 2에서는 자리 재배치와 커피머신 관리라는 사소한 일로 갈등이 발생했으므로 A 교사가 할 수 있는 전략은 [　　　㉡　　　](이)다. 이 전략은 자신의 욕구와 타인의 욕구 충족에 관심을 갖지 않고 갈등 상황을 회피하는 특징을 지닌다. 셋째, 상황 3에서는 시간이 촉박한 상황에서 완벽한 대안을 찾을 수 없으므로 A 교사가 할 수 있는 전략은 [　　　㉢　　　](이)다. 이 전략은 서로의 욕구를 조금씩 양보하는 특징을 지닌다.

Answer

397 ㉠ 조직 혁신 ㉡ 민주주의(학습)의 장 ㉢ 직무동기 ㉣ 생산성
398 ㉠ 강요 전략 ㉡ 회피 전략 ㉢ 타협 전략

Chapter 05 의사소통

---

399 〈 의사소통의 기본적 이해

조해리의 창에 근거할 때 각각의 상황별 의사소통 영역과 방식의 명칭은 다음과 같다. 첫째, 상황 1에서 부장 교사는 자신이 독단적이라는 것을 혼자만 모르고 있으므로 의사소통 영역은 [㉠](이)며, 본인 말만 하고 있으므로 의사소통 방식은 [㉡](이)다. 둘째, 상황 2에서 신규 교사는 자신의 약점을 자신만 알고 있는 상황이므로 의사소통 영역은 [㉢](이)며, 소극적·피상적으로만 이야기하고 있으므로 의사소통 방식은 [㉣](이)다.

---

400 〈 의사소통의 기본적 이해

고든은 교사 역할훈련에서 핵심적인 의사소통 기술로 너-전달법과 나-전달법을 제시한다. 너-전달법은 행동의 원인과 책임을 전적으로 [㉠]에게 돌린다는 특징을 지니며, 상대방의 방어기제를 작동시켜 문제상황에서 상대방이 문제행동을 고치기보다는 [㉡]을(를) 느낀다는 역기능이 있다. 반면, 나-전달법은 상대방의 행동이 나에게 미치는 영향과 그로 인해 내가 느끼는 진솔한 감정을 [㉢](으)로 전달한다는 특징을 지니며, 상대방으로 하여금 나의 의견에 [㉣]하게 만든다는 순기능이 있다.

Answer

399 ㉠ 무지 영역 ㉡ 독단형 ㉢ 은폐 영역 ㉣ 과묵형
400 ㉠ 상대방 ㉡ 반항심 / 불편함 ㉢ 객관적 ㉣ 공감 / 동의

401 │ 의사결정 모형

브리지스는 조직 구성원을 의사결정에 참여시킬 때 참여의 정도를 결정하는 2가지 기준을 제시한다. 첫째, [　　㉠　　](이)다. 이는 구성원이 의사결정에 이해관계를 가지고 있는지 여부이다. 둘째, [　　㉡　　](이)다. 이는 구성원이 의사결정에 도움이 되는 경험과 능력을 가지고 있는지 여부이다. 제시문의 경우 학교 자율시간은 모든 교사에게 적용되므로 이와 관련한 의사결정은 구성원에게 적절성이 [　　㉢　　](라)고 할 수 있으나, A 중학교 교사 대부분은 자율적 교육과정 운영과 관련한 경험이 부족해 전문성은 낮다고 할 수 있다. 따라서 브리지스 모형에 따를 때 A 중학교 교사들의 수용 영역은 한계 조건에 해당하고, [　　　　㉣　　　　]에만 교사들을 참여시키는 것이 적절하다고 할 수 있다.

402 │ 의사결정 모형 ●●○

호이와 타터는 브리지스 모형을 발전시켜 의사결정 상황별로 나타날 수 있는 의사결정의 형태와 리더의 역할을 제시하였다. 제시문의 A 상황은 구성원들이 관련성·전문성은 갖지만 신뢰가 부족한 상황으로, 갈등적 상황에 해당한다. 이 상황에서 의사결정은 집단의 의견을 취합하지만 결정은 리더 단독으로 이루어지는 [　　㉠　　]의 형태로 진행되며, 이때 리더는 [　　㉡　　](으)로서 의사결정과 관련한 쟁점사항과 제약 요인을 구성원들에게 설명하는 역할을 수행한다. 반면, B 상황은 구성원들이 전문성을 가지나 관련성은 없는 상황이므로 전문가 상황에 해당한다. 이 상황에서 의사결정은 전문성을 가진 일부 구성원의 의견을 듣지만 이에 구속받지 않고, 결정은 리더 단독으로 이루어지는 [　　㉢　　]의 형태로 진행되며, 이때 리더는 [　　㉣　　](으)로서 전문성을 가진 구성원에게 전문적 의견을 요청하는 역할을 수행한다.

Answer

401 ㉠ 적절성 ㉡ 전문성 ㉢ 높다 ㉣ 최종 의사결정 시
402 ㉠ 집단자문 ㉡ 교육자 ㉢ 개인자문 ㉣ 간청자

Chapter 06 교육행정 실제

중요도 ○○○

403 교육기획

●○○

교육기획이란 교육목표 달성을 위한 효과적인 [　　　㉠　　　]을(를) 계획하는 과정을 의미한다. 교육기획의 효용성은 다음과 같다. 첫째, 중장기적 시각에서 계획을 수립하고 운영하므로 위기상황에서도 조직을 [　　㉡　　](으)로 운영할 수 있다. 둘째, 조직이 가진 자원과 능력을 분명히 밝혀 조직을 [　　㉢　　](으)로 운영할 수 있다. 셋째, 계획을 사전에 수립하고 해당 계획에 맞춰 조직이 운영되는지 지속적으로 관찰할 수 있어 조직을 [　　㉣　　]하기 용이하다.

404 교육기획

●○○

교육기획 시 준수해야 하는 원리는 다음과 같다. 첫째, [　　㉠　　]의 원리이다. 교육은 모든 사람에게 영향을 미치므로 교육기획 시 참여 등을 통해 이해관계인의 의견을 반영해야 한다. 둘째, [　　㉡　　]의 원리이다. 공교육은 재원이 한정되어 있으므로 재원의 출처, 한도 등을 고려해서 가장 효과적인 수단을 마련해야 한다. 이에 기반한 교육기획 시 접근방법은 다음과 같다. 첫째, 민주성의 원리에 따라 다양한 요구를 반영하기 위해 [　　㉢　　]에 의한 접근방법을 실시한다. 둘째, 효율성의 원리에 따라 자원과 효과를 계산하고 우선순위를 결정하는 [　　㉣　　]에 의한 접근방법을 실시한다.

Answer

403 ㉠ 수단과 방법 ㉡ 안정적 ㉢ 효율적 ㉣ 관리 / 감독
404 ㉠ 민주성 ㉡ 효율성 ㉢ 사회 수요 ㉣ 수익률

405 **교육정책 결정**

교육정책 결정 모형별 장단점은 다음과 같다. 첫째, A 모형은 문제와 대안을 분석하고 최선의 대안을 마련하고자 하는데, 이러한 모형을 [㉠   ](이)라 한다. 이 모형은 대안별 세밀한 장단점 분석을 통해 가장 효과적인 대안을 마련할 수 있다는 장점은 있지만, [㉡   ] 상황에서 현실적으로 이를 적용하기 곤란하다는 단점이 있다. 둘째, B 모형은 이전에 존재하던 대안에서 조금만 바뀐 수준에서 대안을 마련하고자 하는데, 이러한 모형을 [㉢   ](이)라 한다. 이 모형은 이전에 효과적이었던 대안을 수정하여 적용함으로써 정책에 대한 [㉣   ](이)가 높다는 장점이 있지만, 이전의 대안을 조금 수정하는 데 그쳐 혁신적인 대안을 마련하기 곤란하다는 단점이 있다.

406 **교육정책 결정**

위기상황이나 오랫동안 해결되지 못했던 문제들이 우연히 해결되는 과정을 설명한 정책결정 모형을 [㉠   ](이)라 한다. 이 모형의 구성 요소는 문제, 해결책, 참여자, [㉡   ](이)고, 이 요소들이 우연히 모이면서 문제가 해결된다. 이 모형에 따른 의사결정은 복잡한 현실을 반영하여 [㉢   ]인 의사결정이 나타나는 과정을 설명한다는 점에서 의의를 지니지만, 우연에 의한 의사결정에 대하여 구성원들의 [㉣   ]이(가) 낮아 반발할 수 있다는 한계를 지닌다.

407 **교육정책 결정**

킹던의 정책흐름 모형에서 제시하는 3가지 흐름은 다음과 같다. 첫째, [㉠   ](이)다. 정책 결정자가 어떤 문제를 중요한 것으로 인식하게 만드는 계기를 의미한다. 둘째, [㉡   ](이)다. 국가적 변화, 행정부 교체 등의 정치적 사건을 의미한다. 셋째, [㉢   ](이)다. 전문가가 제시한 정책 대안을 의미한다. 이러한 3가지 흐름이 정책활동가에 의해 결합되어 정책의 창이 열리면서 정책이 탄생하는데, 정책의 창은 [㉣   ](으)로 열리며, 정책 문제가 충분히 다루어졌거나 정책 변동이 일어나지 않고 관심이 사라지면 닫힌다는 특성을 갖는다.

408 국가와 지역이 함께하는 교육

최근 지역사회와 협력하는 교육이 강조되면서 마을교육공동체와의 협력이 확대되고 있는데, 마을교육 공동체란 학교·가정·지역사회가 상호 신뢰와 협력을 바탕으로 지역의 인적·문화적·환경적 자원을 공유하며 학생의 전인적 성장을 함께 책임지는 [　　⊙　　] 교육공동체를 말한다. 마을교육공동체와 협력을 통해 교육정책을 결정하는 경우 장점은 다음과 같다. 첫째, 지역 인사와의 소통과 참여를 바탕으로 지역사회의 실제 요구와 특성을 반영하여 [　　ⓒ　　] 교육정책을 기획할 수 있다. 둘째, 지역 사회의 다양한 인적·물적 자원을 활용하여 학교행정의 [　　ⓒ　　]을(를) 추진할 수 있다. 셋째, 정책의 결정권한이 교장이나 교육청에 의해 독점되지 않고 지역사회로 분산되므로 자율과 책임을 바탕으로 한 민주적 [　　ⓔ　　]이(가) 실현될 수 있다.

409 교원의 전문성 향상 방안

장학 시 기관중심의 지시와 통제를 강조하는 역할로서 장학의 한계는 다음과 같다. 첫째, 상부에 의해서 비자발적으로 이루어지는 경우가 많아 장학의 [　　⊙　　](이)가 낮다. 둘째, 구성원들이 지시와 통제를 받는 것에 익숙해지므로 전문성을 함양하고자 하는 [　　ⓒ　　] 태도가 손상된다. 반면, 주체가 아닌 방법에 초점을 두는 과정으로서 장학의 의의는 다음과 같다. 첫째, 장학 담당자와 대상자 간 [　　ⓒ　　] 관계를 강조하므로 장학의 수용도가 높다. 둘째, 정해진 답을 처방하는 것이 아니라 [　　ⓔ　　]을(를) 고려하므로 학교별 맞춤형 장학이 가능하다.

410 교원의 전문성 향상 방안

학교가 자율적 의사에 따라 장학 활동에 참여하는 학교자율장학의 의의는 다음과 같다. 첫째, 학교 상황에 맞는 맞춤형 장학을 통해 학교 전반의 [　　⊙　　]을(를) 향상시킨다. 둘째, 소통을 기반으로 전문성을 공유함으로써 [　　ⓒ　　] 문화를 조성한다. 반면, 학교자율장학의 한계는 다음과 같다. 첫째, 학교별·지역별 여건에 따라 전문성 있는 [　　ⓒ　　]을(를) 적기에 확보하기 곤란할 수 있다. 둘째, 교장의 리더십·구성원들의 태도 등 상황적 요인에 의하여 학교별 [　　ⓔ　　]이(가) 발생할 수 있다.

Answer

405 ⊙ 합리 모형 ⓒ 시간과 자원이 제약된 ⓒ 점증 모형 ⓔ 수용도
406 ⊙ 쓰레기통 모형 ⓒ 선택 기회 ⓒ 비체계적 ⓔ 수용도
407 ⊙ 정책 문제의 흐름 ⓒ 정치의 흐름 ⓒ 정책 대안의 흐름 ⓔ 일시적
408 ⊙ 생태적 ⓒ 지역 맞춤형 ⓒ 효율화 ⓔ 거버넌스
409 ⊙ 수용도 ⓒ 주체적 / 능동적 / 자율적 ⓒ 수평적 / 협력적 ⓔ 학교 상황 / 교사 상황
410 ⊙ 생산성 ⓒ 전문성 함양에 친숙한 ⓒ 장학 담당자 ⓔ 장학의 질에 격차

411 **교원의 전문성 향상 방안**

A 교사는 특정 기술의 함양을 위해 축소된 수업을 영상으로 촬영해 장학을 받고자 하는데, 이러한 장학을 ⊙ (이)라 한다. 이 장학방식의 장점은 다음과 같다. 첫째, 짧은 시간 동안 특정 기술의 함양에 집중함으로써 시간과 노력을 최소화할 수 있어 장학의 ⓒ 이(가) 높아진다. 둘째, 영상을 촬영해 돌려 보는 과정에서 객관적으로 자신의 교수기술을 직시할 수 있고, 이후에 나오는 장학에 대한 ⓒ 이(가) 높아진다.

412 **교원의 전문성 향상 방안**

최근 강조되는 동료장학이란 멘토-멘티교사 짝짓기, 공동 연구활동 등 동료 교사들이 수업 개선을 위해 ⊙ 을(를) 의미한다. 이러한 동료장학이 학교조직에 미치는 긍정적 영향은 다음과 같다. 첫째, 학교 내 인적 자원을 활용하므로 장학을 위한 비용이 최소화되어 조직의 ⓒ 이(가) 높아진다. 둘째, 쌍방향 의사소통을 전제로 하므로 교사 간의 이해도가 높아져 조직 내 ⓒ 을(를) 예방할 수 있다. 셋째, 수업 개선을 위한 자발적인 협력에 기초하므로 전문성 향상에 친화적인 ⓔ 을(를) 조성할 수 있다.

413 **교원의 전문성 향상 방안**

최근 강조되는 자기장학이란 교사 개인이 자신의 전문적 발달을 위하여 스스로 체계적인 계획을 세우고 이를 실천해 나가는 활동을 의미한다. 이러한 자기장학의 의의는 다음과 같다. 첫째, 교사 개인의 측면에서 교사 스스로 계획을 세우고 전문성 향상을 위해 노력하므로 교사의 ⊙ 이(가) 높아 진다. 둘째, 학교 문화의 측면에서 교사들이 자신의 전문성 향상을 위해 공식적·비공식적 활동에 다양 하게 참여하므로 다양한 측면에서 교원의 전문성이 향상되어 ⓒ 을(를) 조성할 수 있다. 그러나 교원의 자발성에 의존하므로 조직 전반에 자율적인 풍토가 조성되어 있지 않으면 자기장학에 참여하는 ⓒ 이(가) 제한될 수 있다.

414 〈 교원의 전문성 향상 방안

교원의 자발적 의사에 따라 외부 전문기관을 통해 장학을 받는 것을 [　　㉠　　](이)라 한다. 이러한 장학을 실시할 때 준수해야 하는 원리는 다음과 같다. 첫째, [　　㉡　　]의 원리이다. 교사가 아닌 외부 전문기관으로부터의 장학에 대한 수용도를 높이기 위해, 교원의 자발적 의사가 있는 경우에만 컨설팅 장학을 요청해야 한다. 둘째, [　　㉢　　]의 원리이다. 장학의 효과를 직접적으로 발생시키려면, 수업 개선을 위해 탁월한 전문성을 갖춘 외부 기관에 장학을 요청해야 한다. 이러한 장학은 외부 전문 기관을 초빙하는 비용이 높아 다른 장학에 비해 [　　㉣　　](이)라는 한계를 가진다.

415 〈 교원 인사행정

「교육공무원법」에 따를 때 교원의 의사와 상관없이 사실상 교육활동에 전념하기 어려워 반드시 휴직을 명해야 하는 상황은 다음과 같다. 첫째, 동법 제44조 제1항 제1호 따라 신체상·정신상의 장애로 [　　㉠　　]이(가) 필요한 경우, 둘째, 동법 동조 동항 제11호에 따라 [　　㉡　　](으)로 종사하게 된 경우를 들 수 있다. 한편, 교원의 휴직 의사가 있는 경우 반드시 휴직을 명해야 하는 상황으로는 첫째, 만 [　㉢　]세 이하 또는 초등학교 2학년 이하의 자녀를 양육하기 위한 경우, 둘째, [　　㉣　　](으)로 인하여 장기간의 치료가 필요한 경우가 있다.

416 〈 교육재정

교육재정이란 공공의 교육활동을 위한 재원을 [　　　㉠　　　]하는 활동을 의미한다. 교육 재정의 기능은 다음과 같다. 첫째, 시장실패를 방지하여 의무교육 등 필요한 부분에 세금을 투입하는 것과 같은 [　　㉡　　] 기능이다. 둘째, 고소득자로부터 세금을 징수하여 저소득층에 교육비를 지원하는 것과 같은 [　　㉢　　] 기능이다. 셋째, 경제 침체 시 청년 인턴 교사 및 방과후 강사 채용을 늘려 일자리를 창출하는 것과 같은 [　　㉣　　] 기능이다.

Answer

411	㉠ 마이크로 티칭 ㉡ 효율성 ㉢ 수용도
412	㉠ 공동으로 노력하는 활동 ㉡ 효율성 ㉢ 갈등 ㉣ 조직(학교) 문화
413	㉠ 자기관리 역량 / 교사 효능감 / 내재적 동기 ㉡ 교육 잘 하는 학교 문화 / 잘 가르치는 문화 / 전문성 존중 문화 ㉢ 인원 / 교사
414	㉠ 컨설팅 장학 / 학교 컨설팅 ㉡ 자발성 ㉢ 전문성 ㉣ 비효율적
415	㉠ 장기요양 ㉡ 노동조합 전임자 ㉢ 8 ㉣ 불임·난임
416	㉠ 확보·배분·지출·평가 ㉡ 자원배분 ㉢ 소득(재)분배 ㉣ 경제안정화

417 | **교육재정**

목적사업비란 [㉠   ]을(를) 실시하기 위하여 지급된 예산을 의미한다. 이러한 목적사업비는 경제위기 등 상황변화에도 목적사업을 [㉡   ](으)로 실시할 수 있다는 장점이 있다. 그러나 다음과 같은 단점이 있다. 첫째, 예산 항목 간 [㉢   ]이(가) 불가하여 상황변화에 융통성 있게 대응하기 곤란하다. 둘째, 잔여 예산은 이월이 불가하고 반납이 원칙이라, 단위학교가 기한 내 목적사업비를 모두 소진하려 하므로 재정 운용의 [㉣   ]이(가) 발생할 수 있다.

418 | **교육재정**

A 예산제도는 지출 대상을 인건비·시설비·운영비 등과 같이 세분화하는데, 이러한 예산제도를 [㉠   ](이)라 한다. 이러한 예산제도는 지출 항목이 정해져 있어 급격한 사회변화에 유연하게 대처하지 못한다는 단점이 있다. 반면, B 예산제도는 단위학교에 총액으로 교부하되 총액 내에서 학교가 자율로 편성할 수 있는 총액배분 자율편성제도이다. 이러한 제도는 학교에 자율성을 부여하여 [㉡   ]에 맞는 예산 편성과 운영이 가능하다는 장점이 있지만, 예산을 심의하는 [㉢   ]의 기능이 정상적이지 않을 경우 예산 활용의 책무성과 효율성이 저하될 수 있다는 단점이 있다.

419 | **교육재정**

A 고등학교는 연구학교 예산 편성 시에 전년도 예산을 전면 재검토하여 새롭게 설정한 우선순위에 따라 예산을 편성하고자 하는데, 이러한 예산제도를 [㉠   ](이)라고 한다. 이러한 예산제도의 장점은 다음과 같다. 첫째, 우선순위에 따라 예산을 편성하므로 예산 운용의 [㉡   ]이(가) 증대된다. 둘째, 전면 재검토하고 우선순위를 설정하는 과정에서 조직 내 의사소통이 활발하게 일어나 예산 편성에서의 [㉢   ]이(가) 확보될 수 있다. 그러나 이 예산제도는 예산을 전면 재검토하는 과정에서 담당자의 [㉣   ]이(가) 늘어난다는 단점을 지닌다.

Answer

417 ㉠ 교육청 주관의 특정 사업 ㉡ 안정적 ㉢ 이·전용 ㉣ 비효율성

418 ㉠ 품목별 예산제도 ㉡ 학교 상황 ㉢ 학교운영위원회

419 ㉠ 영 기준 예산제도 ㉡ 효율성 ㉢ 민주성 ㉣ 업무량 / 업무 부담

Chapter 07 — 학교 및 학급경영

중요도 ○○○

---

420 〈 학교경영

교육목표를 달성하기 위하여 계획·결정·집행 등을 하는 학교경영의 원리는 다음과 같다. 첫째, 구성원들의 만족도를 높이기 위해 구성원들의 참여를 촉진해야 한다는 [㉠]의 원리이다. 둘째, 세금과 같은 제한된 예산 내에서 목적 달성을 추구해야 한다는 [㉡]의 원리이다. 부시의 학교경영 모형에 근거할 때 A 학교는 위계적 구조를 바탕으로 합리성에 입각하여 학교를 경영하려 하므로 [㉢]에 해당한다. 반면, B 학교는 구성원의 참여를 바탕으로 목표를 설정하므로 [㉣]에 해당한다.

---

421 〈 학교경영

목표관리제란 [㉠]을(를) 통해 활동의 목표를 명료화·체계화함으로써 관리의 효율화를 기하려는 관리기법을 의미한다. 목표관리제의 의의는 다음과 같다. 첫째, 구성원의 참여를 통해 목표를 설정하므로 교육행정의 [㉡]을(를) 추구할 수 있다. 둘째, 목표를 분명하게 하고 목표 달성을 위해 학교의 역량을 집중하므로 교육행정의 [㉢]을(를) 추구할 수 있다. 그러나 학교는 교육의 본질상 [㉣]을(를) 설정하기 곤란하기 때문에 목표관리제를 현실적으로 적용하기 곤란할 수 있다.

Answer

420 ㉠ 민주성 ㉡ 효율성 ㉢ 공식적 모형 ㉣ 합의제 모형
421 ㉠ 참여의 과정 ㉡ 민주화 ㉢ 효율화 ㉣ 가시적인 목표 / 수치적인 목표

422 **학교경영**

학교 교육목표 달성을 위하여 다양한 업무에 교사를 배치하는 업무분장 시 지켜야 하는 원칙은 다음과 같다. 첫째, 교사들이 최선의 성과를 창출할 수 있도록 교사들의 능력과 성향에 따라 최적의 업무에 배치한다는 [　　　⑦　　　](이)다. 둘째, 교사들이 다양한 역할을 경험할 수 있도록 주기적으로 업무를 바꿔주는 [　　ⓛ　　](이)다. 셋째, 교사들이 업무분장에 불만을 가지지 않도록 일관된 업무분장 규칙을 적용하는 [　　　ⓒ　　](이)다.

423 **학교경영**　　　　　　　　　　　　　　　　　　　　　●●○

머피와 벡이 분류한 단위학교 자율책임경영제 모형은 다음과 같다. 첫째, [　　　⑦　　　](이)다. 이는 학교장에게 권한이 독점되는 모형을 의미한다. 둘째, 전문적 통제모델이다. 이는 학교장과 함께 학교 내 가장 전문가인 [　　ⓛ　　](이)가 권한을 갖는 모형을 의미한다. 셋째, [　　　ⓒ　　](이)다. 이는 학부모와 지역사회 전문가가 권한을 갖는 것을 의미한다. 단위학교 자율책임경영제는 교육부·교육청이 갖고 있던 의사결정 권한을 일선 학교로 이양함으로써 학교경영의 자율성과 [　　ⓔ　　]을(를) 제고한다는 의의를 갖는다.

424 학교경영

교사, 학부모, 지역사회 전문가의 참여를 통해 의사를 결정하는 학교운영위원회의 순기능은 다음과 같다. 첫째, 학부모와 지역사회 전문가가 참여함에 따라 학교운영의 [㉠]을(를) 확보 가능하다. 둘째, 재정·규칙 등 학교의 중요 사항 등을 합의에 기초하여 [㉡]함으로써 방만한 학교운영을 견제하고 학교운영의 효율성을 확보할 수 있다. 한편, 학교운영위원회의 운영상 발생할 수 있는 문제점은 다음과 같다. 첫째, 위원의 [㉢] 문제이다. 학부모 위원의 경우 일부 학부모의 추천과 참여로만 선정되는 경우가 많고, 지역사회 위원 역시 선정과정이 불명확한 경우가 있다. 둘째, 운영의 [㉣] 문제이다. 현실적으로 교장의 의견이 전적으로 반영되는 등 교장의 거수기구로 운영되는 경우가 있다.

425 학급경영

학급 내에서 교사가 인적·물적 자원의 활용 계획을 수립하고 운영하는 학급경영은 학급과 관련한 기초조사로부터 시작한다. 이때 기초조사 단계에서 분석하는 내용은 다음과 같다. 첫째, 학생을 이해하고 학생 맞춤형 교육환경을 조성하기 위해 학생의 [㉠]을(를) 확인한다. 둘째, 학생들에게 다양한 교육경험을 제공하기 위해 학급운영에서 활용할 수 있는 [㉡]을(를) 확인한다. 셋째, 학교와 학급경영의 일관성을 확보하기 위해 학교와 학년의 [㉢]을(를) 확인한다.

Answer

422 ㉠ 적재적소의 원칙 ㉡ 변화성의 원칙 ㉢ 공정성의 원칙
423 ㉠ 행정적 통제모델 ㉡ 교사 ㉢ 지역사회 통제모델 ㉣ 책무성
424 ㉠ 민주성 ㉡ 심의 ㉢ 대표성 ㉣ 형식성
425 ㉠ 가정환경 / 인지·정의적 특성 ㉡ 지역 내 교육 자원 ㉢ 교육목표

VII

교육사회

Chapter 01 교육사회학 이론

중요도 ○○○

426 기능론적 관점 ●○○

사회를 바라보는 기능론적 관점에서는 사회를 유기체로 비유하며, 사회란 [㉠](이)라는 공동의 목적을 지닌 개인과 집단의 통합체라고 본다. 기능론적 관점에 따를 때 학교의 기능은 다음과 같다. 첫째, [㉡] 기능이다. 학교교육은 새로운 세대에게 기존의 생활양식과 가치 및 규범 전수를 통해 전체 사회의 유지에 기여한다. 둘째, [㉢] 기능이다. 학교교육은 재능 있는 사람을 분류·선발하고 적재적소에 배치하여 사회를 안정화한다. 셋째, 학업 격차의 완화 기능이다. 학교교육은 개인 기능상의 차이를 고려한 [㉣]을(를) 통해 학업성취 수준의 격차를 완화한다.

427 기능론적 관점

뒤르켐(E. Durkheim)은 사회의 질서유지와 통합을 위해 교육을 통한 사회화를 강조한다. 이때 사회화는 크게 두 가지로 구분된다. 첫째, [㉠](이)다. 이는 사회 전체의 동질성 유지를 위해 신체적·지적·도덕적 특성을 함양하기 위한 교육을 의미한다. 둘째, [㉡](이)다. 이는 개인이 사회의 부분으로서 자신의 기능을 충실히 수행할 수 있도록 특수환경에서 요구하는 능력을 함양하는 교육을 의미한다. 사회화를 위해 뒤르켐은 교육의 방식으로 [㉢]을(를) 강조하였는데, 이러한 교육은 사회의 주된 가치와 신념을 내면화한다는 특징을 갖는다. 따라서 교사는 학생들을 위해 모범적 헌신을 하며, [㉣](을)를 제공하는 역할을 수행할 수 있다.

428 〈 기능론적 관점

사회적 규범이란 상황에 따라 어떻게 행동해야 하는지에 대한 구체적 행동 표준이다. 기능론에 따를 때 학교에서 이러한 규범교육이 필요한 이유는 사회에서 필요한 행동 표준을 습득하면서 학생을 [㉠]하고 사회를 안정화하기 위함이라 할 수 있다. 드리븐은 교육을 통해 4가지 사회적 규범을 습득할 것을 강조한다. 제시문의 A 교사는 가장 열심히 노력한 학생에게 가장 높은 성적을 부여했는데, 학생들은 이러한 과정을 통해 [㉡] 규범을 습득하게 된다. 또한, B 교사는 학생들에게 동일한 학습을 하도록 했는데, 학생들은 이러한 과정을 통해 [㉢] 규범을 습득하게 된다.

429 〈 갈등론적 관점

사회의 경쟁과 갈등을 강조하는 갈등론적 관점에 따를 때 학교의 기능은 다음과 같다. 첫째, [㉠] 기능이다. 지배계층은 자신의 위치와 권한을 공고화하기 위해 학교를 통해 지배집단의 신념과 가치를 피지배계층에게 보편적 가치로 은연중에 내면화한다. 둘째, [㉡] 양성 기능이다. 지배계층은 관리자로서 자신들의 이익을 극대화하기 위해 학교를 통해 사회에 순응적이고 생산능력을 갖춘 미래 노동자를 육성하고자 한다. 이러한 관점의 한계는 다음과 같다. 첫째, 교육의 기능을 지배계층의 이익을 위한 [㉢](으)로만 강조하여 인간의 자아실현, 전통문화의 전수와 같은 교육의 순기능을 과소평가한다. 둘째, 학교교육을 무비판적으로 수용하는 [㉣] 학습자를 가정하여 인간의 능력과 태도를 과소평가한다.

430 〈 갈등론적 관점

알튀세르가 구분한 국가기구는 다음과 같다. 첫째, [㉠](이)다. 이는 사법제도, 군대, 경찰 등 지배계급의 이익을 위하여 힘·물리력·강제력을 동원하는 기능을 수행한다. 둘째, [㉡](이)다. 이는 가족, 교회, 학교 등 계급관계를 은폐·위장하여 구성원의 동의를 통해 기존 계급구조를 정당화하는 기능을 수행한다. 따라서 학교에서 실시하는 의무교육은 국민으로 하여금 강제적으로 [㉢]을(를) 학습할 수밖에 없는 가장 강력한 재생산 기능을 수행한다고 할 수 있다.

Answer

426 ㉠ 안정과 질서유지 ㉡ 사회화 ㉢ 인재 선발 및 양성 ㉣ 수준별 교육
427 ㉠ 보편사회화 ㉡ 특수사회화 ㉢ 도덕교육 ㉣ 모범적 사례
428 ㉠ 사회화 ㉡ 성취성 ㉢ 보편성
429 ㉠ 불평등 재생산 ㉡ 순응적 노동자 ㉢ 수단 ㉣ 수동적
430 ㉠ 억압적 국가기구 ㉡ 이념적 국가기구 ㉢ 지배계층의 이념(이데올로기)

431 갈등론적 관점

부르디외가 제시한 상징적 폭력이란 특정 지배계급의 문화를 [㉠] 하여 피지배계급이 이를 수용하도록 강제하는 것이다. 부르디외는 문화자본을 3가지로 구분하는데, 첫째, [㉡] (이)다. 이는 유년시절부터 자연스럽게 체화된 문화적 취향을 의미한다. 둘째, [㉢] (이)다. 이는 책, 예술품 등 문화적 재화를 의미한다. 셋째, [㉣] (이)다. 이는 졸업장, 자격증과 같이 제도적·사회적으로 인정된 것을 의미한다.

432 갈등론적 관점

프레이리는 교육의 형태를 크게 은행예금식 교육과 문제제기식 교육으로 구분한다. 두 교육의 차이점은 다음과 같다. 첫째, 교육관 측면에서 은행예금식 교육은 교사가 지식을 독점하여 학생들에게 이를 [㉠] 하는 교육관을 가지고 있으나, 문제제기식 교육은 사회현실을 비판적으로 인식할 수 있도록 인간을 [㉡] 하기 위한 교육관을 가지고 있다. 둘째, 교사와 학생의 관계 측면에서 은행예금식 교육은 교사가 우위에 있는 수직적 관계를 지향하나, 문제제기식 교육은 문제에 대해 교사·학생이 공동으로 탐구하는 [㉢] 을(를) 지향한다. 셋째, 교수학습 방법의 측면에서 은행예금식 교육은 교과서에 대한 주입식·강의식 교육이 주를 이루나, 문제제기식 교육은 교과서를 비판적으로 바라보거나, 현실 문제에 관한 [㉣] 교육을 강조한다.

433 미시적 관점

하그리브스는 교사와 학생의 상호작용을 강조하면서 교사의 유형을 크게 3가지로 구분하는데, A 교사는 학생들을 친구처럼 대하면서 학생들이 학습에 흥미를 느끼도록 다양한 교수법을 적용하려고 노력하므로 [㉠] 에 해당한다. 이러한 교사 유형은 학생들과의 활발한 상호작용과 다양한 교수법을 통해 학생들의 [㉡] 을(를) 높인다는 장점이 있지만, 관계 개선·시청각적 흥미에 따른 교육만 지나치게 강조하여 교육의 [㉢] 에 소홀할 수 있다는 단점이 있다.

434 〈 미시적 관점

번스타인은 언어사회화이론을 통해 계급별 의사소통 방식의 차이와 학업성취 간의 관련성을 확인한다. 이 이론은 어법을 두 가지로 구분한다. 첫째, [　　　㉠　　　] 어법이다. 이는 주로 중상류계급 학생들이 사용하는 어법으로, 논리성과 보편성을 가진다. 둘째, [　　　㉡　　　] 어법이다. 이는 주로 노동계급 학생들이 사용하는 어법으로, 비논리적이고 감정적인 특징을 가진다. 이 이론에 근거할 때 공식적 교육과정과 교과서는 [　　　㉢　　　] 어법으로 구성되어 있고, 교사 또한 그러한 어법을 구사하므로 중상류계급이 친숙하게 교육내용을 습득하게 되고 이로 인해 학업성취에서 차이가 발생한다.

435 〈 미시적 관점

번스타인의 교육과정 분류에 근거할 때 과목 간, 전공분야 간 상호 관련이나 교류가 활발히 일어나는 교육과정을 [　　　㉠　　　](이)라 한다. 이 교육과정에서는 지식의 단순 암기보다는 획득과 활용이 강조되면서 [　　　㉡　　　]이(가) 적용되는데, 이러한 교수법은 공부와 놀이가 구분되지 않고 교사와 학생이 횡적인 관계를 맺는다는 특징을 지닌다. 해당 교육과정은 학생들이 사회에서 요구되는 것들을 학교에서 자연스럽게 습득할 수 있다는 장점이 있다. 그러나 이 과정에서 오히려 자본과 국가의 요구가 학교에 쉽게 개입하게 되어 학교만의 고유한 논리가 사라지고, 외부의 경제적 논리인 생산의 코드에 종속되어 교육의 [　　　㉢　　　]이(가) 약화된다는 단점이 있다.

Answer

431　㉠ 보편화 / 정당화 ㉡ 아비투스적 문화자본 ㉢ 객관화된 문화자본 ㉣ 제도화된 문화자본
432　㉠ 주입 ㉡ 의식화 ㉢ 수평적 관계 ㉣ 토론식
433　㉠ 연예인형 ㉡ 학습동기 ㉢ 내용 / 본질
434　㉠ 정교화된 ㉡ 제한된 ㉢ 정교화된
435　㉠ 통합형 교육과정 ㉡ 보이지 않는 교수법 ㉢ 자율성

436 미시적 관점

맥닐은 교사가 수업을 원활히 진행하기 위해 방어적 교수법을 활용한다고 본다. 구체적 유형은 다음과 같다. 첫째, [㉠   ](이)다. 이는 복잡한 주제와 개념을 연결해서 설명하지 않고 단순하게 설명하는 것을 의미한다. 둘째, [㉡   ](이)다. 논란의 여지가 있는 주제나 복잡한 주제에 대해 알지 않아도 되는 것처럼 설명하는 것을 의미한다. 셋째, 생략이다. 교사가 자의적으로 특정 내용을 생략하고 넘어가는 것을 의미한다. 넷째, 방어적 단순화이다. 이는 학생들을 [㉢   ]하여 일부러 학습 내용을 단순하게 가르치는 것을 의미한다.

437 미시적 관점

케디는 학생들을 어떻게 범주화하는지에 따라 범주화된 학생들에게 갖는 교사의 고정관념이 수업에 미치는 영향을 분석했는데, 능력 외에 케디가 제시한 학생범주화의 기준은 [㉠   ](이)다. 즉, 교사는 학생들이 속한 가정환경, 사회적 배경에 따라 학생들을 구분하고 성과에 대한 기대 또한 달라진다고 보았다. 이러한 범주화가 주는 악영향은 다음과 같다. 첫째, 학습자 측면에서는 개인의 능력과 상관없는 부모의 경제력, 계급에 따라 차별 대우함으로써 학생들의 [㉡   ]을(를) 침해하게 된다. 둘째, 사회의 측면에서는 계급 구조를 당연시하게 하고 계급에 따른 사회 격차를 고착화하여 [㉢   ]을(를) 저해한다.

Answer

436 ㉠ 단편화 ㉡ 신비화 ㉢ 과소평가
437 ㉠ 사회계급 ㉡ 자아존중감 / 학습동기 ㉢ 균형 있는 사회 발전

Chapter 02 교육과 평등

중요도 ○○○

438 공교육의 확대와 학력 상승

공교육에 대한 비판으로 등장한 대안학교의 유형은 다음과 같다. 첫째, [　　ⓐ　　](이)다. 이는 교사중심의 주입식 교육을 비판하면서 학생에게 자율권을 부여하고 다양한 형태의 교육을 실시하는 학교이다. 둘째, [　　ⓑ　　](이)다. 이는 자연환경에서의 직접적 경험을 강조하면서 의식주와 관련한 기본적 활동을 교육하는 학교이다. 셋째, [　　ⓒ　　](이)다. 이는 비행 등으로 공교육에 적응하지 못하고 이탈한 학생들을 위해 다시 한번 교육의 기회를 제공하는 학교이다. 넷째, [　　ⓓ　　](이)다. 이는 공식적 교육과정의 틀에서 벗어나 개별 학교의 고유이념과 방식을 추구하도록 허용하는 학교이다.

439 공교육의 확대와 학력 상승

●○○

이론별로 학력 상승의 원인은 다음과 같다. 첫째, 학습욕구이론에서는 사회·경제적 발전으로 개인의 결핍 욕구가 충족됨에 따라 성장 욕구인 [　　ⓐ　　]을(를) 충족하려고 노력하는 과정에서 학력을 획득한다고 보았다. 둘째, 기술기능이론에서는 과학기술의 발달로 직업기술 수준이 계속 향상됨에 따라 취업을 위한 교육의 [　　ⓑ　　]이(가) 높아져 학력이 상승한다고 보았다. 셋째, 지위경쟁 이론에서는 개인이 [　　ⓒ　　]하기 위해 학력이 상승한다고 본다.

440 사회이동

각 계층에 속한 개인이나 집단이 다른 계층으로 이동하는 현상인 사회이동에 대해 터너는 다음과 같이 유형화한다. 첫째, [　　　㉠　　　](이)다. 이는 개인의 노력과 능력을 통해 경쟁에 참여하고, 경쟁의 결과에 따라 계층을 이동하는 것을 의미한다. 둘째, [　　　㉡　　　](이)다. 이는 기득권의 후원(지원)에 의해 계층을 이동하는 것을 의미한다. 한편, 사회이동에 대해 지위획득 모형에서는 부모의 계층 수준보다 개인의 [　　　㉢　　　]와(과) 첫 번째 직업 경험이 직접적 영향을 미친다고 본다. 반면, 교육수익률 곡선에서는 교육수익률이 높은 초기에는 중·상류계층만 혜택을 받고, 교육이 보편화된 이후에는 교육혜택을 받아도 교육수익률이 낮아 사회이동이 제한된다고 본다.

441 교육평등론　●●○

콜맨 리포트에서는 학업성취에 가장 큰 영향을 미치는 요소로 학생의 [　　　㉠　　　]을(를) 제시한다. 즉, 학생이 학교를 다니고 교육을 받는 데 있어서 가정의 지원이 풍족한 경우 높은 학업성취 수준을 달성하고, 그렇지 않은 경우 교육결손으로 이어진다고 본다. 이러한 결손을 방지하기 위해 콜맨이 강조한 교육은 [　　　㉡　　　](이)다. 이를 실행하기 위해서는 정규수업 시간 내에 학습을 따라가지 못한 학생들을 위해 [　　　㉢　　　]을(를) 실시할 수 있다.

442 교육평등론　●○○

교육평등에 관한 주요 관점은 다음과 같다. 첫째, 허용적 평등관이다. 이는 모든 사람에게 동등한 교육 기회를 주어야 한다는 관점으로, 「초·중등교육법」에 따른 [　　㉠　　] 제도가 이에 해당한다. 둘째, 보장적 평등관이다. 이는 취학을 가로막는 경제·지리·사회적 제반 장애를 제거해야 한다는 관점으로, 「학교급식법」에 따른 [　　㉡　　] 제도가 이에 해당한다. 셋째, 조건적 평등관이다. 이는 학교의 시설, 교사의 자질, 교육과정 등에 있어서 학교 간 차이를 없애야 한다는 관점으로, [　　㉢　　] 정책이 이에 해당한다. 넷째, 결과적 평등관이다. 이는 교육결손을 보충해주거나 교육결과를 같게 만들어야 한다는 관점으로, 고입·대입에서의 [　　㉣　　] 제도가 이에 해당한다.

443 기초학력 보장 ●○○

「기초학력 보장법」에 따를 때 기초학력이란 학생이 학교 교육과정을 통하여 갖추어야 하는 [　　　　　⑦　　　　　]을(를) 충족하는 학력을 의미한다. 한편, 학습을 저해하는 요인은 다음과 같다. 첫째, 인지적 측면에서 [　　　　　⑥　　　　　] 등이 일정 수준보다 낮으면 학습내용을 이해하지 못해 학습을 저해한다. 둘째, 정의적 측면에서 학습자의 [　　　⑥　　　]이(가) 낮으면 학습 참여도가 떨어져 학습을 저해한다. 셋째, 환경적 측면에서 가정의 [　　　　⑧　　　　]이(가) 충분하지 않으면 학생들이 학습에 집중할 수 없어 학습을 저해한다.

444 기초학력 보장 ●●○

기초학력 보장을 위한 3단계 다중 학습 안전망은 다음과 같다. 1단계로, 교실 내에서는 교사가 학생의 학습과정을 관찰하고 협력수업의 하나인 [　　　　　⑦　　　　　]을(를) 통해 수업 중 보충학습이 필요한 학생에게 보조교(강)사가 즉각적으로 맞춤형 피드백을 해준다. 2단계로, 학교 내에서는 [　　　　⑥　　　　]와(과) 같은 전담팀을 통해 협력을 바탕으로 학습지원이 필요한 학생을 진단한다. 3단계로, 학교 밖에서는 교육(지원)청 단위로 설치된 [　　　　⑥　　　　]에서 실시하는 전문적 평가도구와 전문 상담을 통해 학생을 진단하고 지원할 수 있다.

Chapter 03 · 교육과 경쟁

중요도 ○○○

445 교육선발과 시험

교육선발의 관점 중 엘리트주의와 평등주의의 차이점은 다음과 같다. 첫째, 교육관의 측면에서 엘리트주의는 교육을 통한 학생의 성장을 부정적으로 보면서 선발에 강조점을 두는 선발적 교육관을 가지나, 평등주의는 누구나 교육을 통해 성장할 수 있다는 [㉠   ] 교육관을 지향한다. 둘째, 평가방법의 측면에서 엘리트주의는 우수한 학생을 변별해야 하므로 [㉡   ]을(를) 실시하지만, 평등주의는 목표달성 여부를 강조하므로 준거참조평가(절대평가)를 실시한다. 셋째, 선발시기의 측면에서 엘리트주의는 이른 시기에 우수한 학생을 선발하여 엘리트로 키우는 데 관심이 있어 [㉢   ]을(를) 선호하나, 평등주의는 누구나 목표를 달성하도록 기다려주는 것에 관심이 있어 만기 선발을 선호한다.

446 교육선발과 시험

호퍼는 교육선발 방식의 유형으로 다음과 같은 4가지를 제시한다. 첫째, 선발방법의 측면에서 표준화된 선발방법인 중앙집권형과 비표준화된 선발방법인 [㉠   ](으)로 구분된다. 둘째, 선발시기의 측면에서 모든 사람을 위해 선발시기를 최대한 늦추는 [㉡   ]와(과) 엘리트를 빠르게 선발하기 위한 조기 선발로 구분된다. 셋째, 선발대상의 측면에서 전문적 능력이 있으면 누구나 선발대상이 되는 [㉢   ]와(과) 특수한 자질을 가진 자가 선발대상이 되는 특수주의로 구분된다. 넷째, 선발기준의 측면에서 집단의 기준에 의해 선발하는 집단주의와 개인의 능력을 기준으로 선발하는 [㉣   ](으)로 구분된다.

447 ⟩ 교육선발과 시험

학습결과를 평가하는 시험의 순기능은 다음과 같다. 첫째, 시험 실시로 교사에게 수업 준비의 ⟨ ㉠ ⟩을(를) 갖게 함으로써 교육의 질적 수준을 유지한다. 둘째, 학생 간 비교와 경쟁을 통해 학습자에게 긴장감을 불러일으키고 ⟨ ㉡ ⟩을(를) 유발한다. 반면, 시험의 역기능은 다음과 같다. 첫째, 교사는 시험에 나올 만한 내용만 가르치게 되고, 주입식 교육으로 인해 학생들의 ⟨ ㉢ ⟩ 발전을 저해한다. 둘째, 학생에게 ⟨ ㉣ ⟩을(를) 유발하여 정신건강에 해를 끼치게 된다.

448 ⟩ 학업성취와 격차

학업성취와 격차에 관한 교사의 피그말리온 효과란 학업성취에 대한 교사의 ⟨ ㉠ ⟩이(가) 학습자의 학습풍토에 영향을 미쳐 이후 실제 성취에 영향을 주는 것을 의미한다. 한편, 학업성취와 격차에 대해 문화실조론에서는 개인의 지적 능력보다 가정의 사회경제적 위치나 부모의 기대 수준 차이 등 ⟨ ㉡ ⟩이(가) 결핍되면 학습결손이 초래된다고 본다. 반면, 문화다원론에서는 현실에는 문화 간 우열이 없이 문화가 다양하게 존재하지만, 학교교육에 ⟨ ㉢ ⟩만 반영된 경우에는 그런 문화와 다른 문화를 가진 학생들이 낮은 학업성취 수준을 나타낸다고 본다.

449 ⟩ 학업성취와 격차

콜맨이 제시한 부모의 사회적 자본 유형은 다음과 같다. 첫째, ⟨ ㉠ ⟩(이)다. 부모가 제공하는 정서적 지원, 자녀에 대한 기대 등의 차이가 학업성취에 영향을 준다. 둘째, ⟨ ㉡ ⟩(이)다. 부모의 친구관계나 이웃과의 교육정보 교류 정도에 따라 정보 격차가 발생하고, 이로 인해 학업성취가 다르게 나타난다. 한편, 사회적 자본 외에 학업성취에 영향을 미치는 부모의 자본은 다음과 같다. 첫째, 부모의 ⟨ ㉢ ⟩(이)다. 부모의 경제력에 따라 학생의 학습 경험이 달라져 학업성취에 영향을 준다. 둘째, 부모의 ⟨ ㉣ ⟩(이)다. 부모의 교육 수준에 따라 가정 내 대화 주제, 교육적 지원 등이 달라져 학업성취에 영향을 준다.

Answer

445 ㉠ 발달적 ㉡ 규준참조평가(상대평가) ㉢ 조기 선발
446 ㉠ 분권형 ㉡ 만기 선발 ㉢ 보편주의 ㉣ 개인주의
447 ㉠ 책무성 ㉡ 학습동기 ㉢ 고등정신사고능력 ㉣ 시험 스트레스
448 ㉠ 기대 ㉡ 가정환경 ㉢ 특정 문화
449 ㉠ 가족 내 사회적 자본 ㉡ 가족 외 사회적 자본 ㉢ 경제적 자본 ㉣ 인간(인적) 자본

Chapter 04 교육과 문화

중요도 ○○○

450 〈 비행이론 ●●○

사회통제이론에서는 사회적 유대가 약화되는 경우 비행이 발생한다고 본다. 이때 사회적 유대감이란 학생 개인이 사회와 맺고 있는 정서적 연결고리를 의미한다. 제시문에서는 사회적 유대감의 요소로 타인과의 애착을 제시하고 있는데, 이 외에 사회적 유대감을 구성하는 요소는 다음과 같다. 첫째, 목표달성을 위한 [㉠](이)다. 학업 성취, 좋은 대학 진학 등 사회가 인정하는 관습적인 목표를 달성하기 위해 노력하는 것을 의미한다. 둘째, 학교생활에 대한 [㉡](이)다. 공부, 동아리 활동 등 학교 내에서 이루어지는 합법적인 활동에 시간과 에너지를 쏟는 것을 의미한다. 셋째, [㉢]에 대한 신념이다. 사회적 규칙인 규범의 타당성을 인정하고 이를 신뢰하는 것을 의미한다.

451 〈 비행이론 ●○○

학생 비행의 원인에 대한 이론별 입장은 다음과 같다. 첫째, 아노미이론에 따르면 목적 달성을 위한 [㉠]이(가) 존재하지 않을 때 목적 달성을 위해 비행이 발생한다고 본다. 둘째, 낙인 이론에 따르면 권력·영향력 있는 타인이나 사회가 어떤 학생을 비행학생이라 낙인찍는 경우 학생이 스스로 자신을 [㉡](이)라고 지각하면서 실제 비행으로 이어진다고 본다. 셋째, 차별적 접촉이론에 따르면 또래와 같은 타인의 비행을 관찰하고 이를 [㉢]하는 과정에서 비행이 발생한다고 본다.

452 〈 비행이론 ●○○

「학교폭력예방 및 대책에 관한 법률」에 따를 때 학교폭력에 대한 학교장의 자체 해결이 가능한 요건은 다음과 같다. 첫째, [㉠] 이상의 신체적·정신적 치료를 요하는 진단서를 발급받지 않은 경우이다. 둘째, 재산상 피해가 없는 경우 또는 재산상 피해가 즉각 복구되거나 복구 약속이 있는 경우이다. 셋째, 학교폭력이 [㉡]이지 않은 경우이다. 넷째, 학교폭력에 대한 신고·진술·자료제공 등에 대한 [㉢]이(가) 아닌 경우이다.

Answer

450 ㉠ 전념 ㉡ 참여 ㉢ 규범 / 규칙

451 ㉠ 합법적 수단 ㉡ 비행학생 ㉢ 모방

452 ㉠ 2주 ㉡ 지속적 ㉢ 보복행위

Chapter 05 평생교육과 다문화교육

중요도 ○○○

453 평생교육

랑그랑(P. Lengrand)은 평생교육에 대해 수직적 차원과 수평적 차원으로 구분하여 정의하였다. 수직적 차원에서 평생교육은 학령기 시기의 교육뿐 아니라 인간이 [　　　　　⑦　　　　　]까지 받는 모든 교육을 의미하며, 수평적 차원에서는 학교라는 공간뿐 아니라 [　　　　　ⓛ　　　　　]에서 받는 교육을 의미한다. 평생교육이 필요한 이유는 다음과 같다. 첫째, 개인적 측면에서 의학의 발전으로 개인의 수명이 연장되는 상황에서 개인의 [　　ⓒ　　] 성장, 새로운 삶의 개척을 위해 평생교육이 필요하다. 둘째, 사회적 측면에서 지식정보화가 고도화되는 상황에서 끊임없이 지식을 재창출하는 사회를 구축하기 위해 평생교육이 필요하다.

454 평생교육

평생교육의 원리는 다음과 같다. 첫째, [　　⑦　　]의 원리이다. 학교에서의 교육뿐 아니라 학교 밖에서 이루어지는 교육 또한 정당화한다. 둘째, [　　ⓛ　　]의 원리이다. 지식적인 부분뿐 아니라 다양한 역량을 함양하는 교육을 지향한다. 셋째, [　　ⓒ　　]의 원리이다. 학령기뿐 아니라 어떠한 상황에 있는 학습자에게도 교육받을 권리를 부여한다. 넷째, [　　ⓔ　　]의 원리이다. 개인의 필요와 욕구에 기초하여 프로그램을 편성하고 운영한다.

Answer

453　⑦ 태어나서 죽을 때 ⓛ 모든 사회공간 ⓒ 지속적인
454　⑦ 전체성 ⓛ 통합성 ⓒ 융통성 ⓔ 민주성

455 〈 평생교육

들로어가 제시한 교육의 4기둥은 다음과 같다. 첫째, [㉠   ](이)다. 인간 개개인의 삶에 의미를 주는 살아 있는 지식의 습득을 위한 학습을 의미한다. 둘째, [㉡   ](이)다. 개인의 환경에 대한 창조적 대응능력의 획득에 대한 학습을 의미한다. 셋째, [㉢   ](이)다. 공동체 속에서 다른 지역 사람이나 외국 사람과의 조화로운 삶을 영위하고 그들과 공존하며, 공동체에 참여할 수 있는 능력을 학습하는 것을 의미한다. 넷째, [㉣   ](이)다. 교육의 궁극적 목표로서 앞의 세 가지 교육적 기능의 총체를 의미한다.

456 〈 다문화교육

다문화교육과 관련하여 동화주의와 다문화주의가 있다. 동화주의는 다문화사회에서 각 집단의 문화를 한데 모아 [㉠   ]에 넣어 녹이듯, 하나의 문화로 만들기 위해 다문화교육을 운영한다는 특징을 가진다. 동화주의에 기초한 교육은 주류 문화를 우월한 것으로 전제하기 때문에, 소수 문화 학생들은 자신의 [㉡   ]이(가) 부정당해 자아가 손상된다는 한계를 지닌다. 반면, 다문화주의는 [㉢   ]처럼 다양한 사회구성원들이 상호공존하며 각각이 색깔과 향기를 지니고 조화로운 통합을 이루기 위해 다문화교육을 운영하는 특징을 가진다. 다문화주의에 기초한 교육은 문화적 다양성을 존중함에 따라 글로벌 시대에 필수적인 [㉣   ]을(를) 함양하게 한다.

Answer

455 ㉠ 알기 위한 학습 ㉡ 행동하기 위한 학습 ㉢ 함께 살아가기 위한 학습 ㉣ 존재하기 위한 학습

456 ㉠ 용광로 ㉡ 정체성 ㉢ 샐러드 볼 ㉣ 세계시민성

최원휘 SELF 교육학

핵심개념 456
모범답안 & 빈칸암기노트

제1판발행 | 2024. 5. 10.　**제2판인쇄** | 2026. 4. 27.　**제2판발행** | 2026. 5. 4.　**저자** | 최원휘

발행인 | 박 용　**발행처** | (주)박문각출판　**등록** | 2015년 4월 29일 제2019–000137호

주소 | 06654 서울특별시 서초구 효령로 283 서경 B/D　**팩스** | (02)584–2927

전화 | 교재 문의 (02) 6466–7202, 동영상 문의 (02) 6466–7201

저자와의
협의하에
인지생략

ISBN 979–11–7519–964–4 | 979–11–7519–962–0(세트)

정가 29,000원(분권 포함)